P9-AOL-633

VERS ET PROSE

MORCEAUX CHOISIS

L'illustrateur de la couverture s'est inspiré du portrait de Mallarmé par James Mc Neill WHISTLER.

STÉPHANE MALLARMÉ

VERS ET PROSE

MORCEAUX CHOISIS

LIBRAIRIE ACADÉMIQUE PERRIN
116, RUE DU BAC
PARIS

PRÉFACE

Après vingt-cinq ans de recherches et douze ouvrages sur le même poète, je reste fidèle, en ma ferveur mallarméenne, aux préférences initiales : apporter, le plus souvent possible, faits, documents, textes inédits, même ici, c'est-à-dire enrichir de preuves les analyses en cours, les synthèses futures et, de mon mieux, faire admirer la noblesse, le génie, le rang de l'artiste exceptionnel. Certains lecteurs ont peut-être remarqué que plusieurs de mes récents travaux, en apparence erratiques, se rattachaient au même dessein, concernaient la vie posthume de l'inventeur, son influence, à la fois cérébrale et morale, sur les deux grands poètes de ce XXe siècle plus qu'à demi écoulé.

Je n'ai guère cherché jusqu'à présent à mettre en prose didactique les poésies de Mallarmé : assez de professeurs de Lettres, en bien des pays, et non moins dispersés par leurs désaccords que divers par leurs langues, s'ingénient à diriger, sur une obscurité légendaire, leurs lumières de secours : sans vouloir prétendre, d'ailleurs (au moins la plupart), par spécialisation, vocation ou complexe de supériorité, aux substitutions avantageuses qu'un désaveu cinglant devrait faire redouter. Tant mieux que certains n'aient rien écouté de l'avertissement sarcastique car le progrès des éclaircissements est continu. Les vers de Mallarmé, d'ailleurs, ne perdent ni à être exactement compris, ni à se laisser croire faciles, ni même à défier longtemps la littéralité. Il se souciait, avant tout, on le lira, de musique et d'enchantement.

Les leçons d'intelligence (ou « d'intellection ») se doivent d'être prudentes et modestes. Chez des scoliastes ivres de scolarité et chez des correcteurs incorrigibles, qui se comportent devant des œuvres d'éternelle supériorité comme devant de chétives copies de bacheliers, quelques intonations vulgaires étant toujours à craindre, on ne saurait trop fréquemment offrir à lire ou relire les lignes de Valéry auxquelles il vient d'être fait allusion : « Que d'ouvrages de poésie réduits en prose, c'est-à-dire à leur substance significative, n'existent littéralement plus ! Ce sont des préparations anatomiques, des oiseaux morts. Que sais-je ! Parfois l'absurde à l'état libre pullule sur ces cadavres déplorables, que l'Enseignement multiplie, et dont il prétend nourrir ce qu'on nomme « les Études ». Il met en prose comme on met en bière... » Et Valéry ajoutait : « J'irai même jusqu'à dire que plus une œuvre d'apparence poétique survit à sa mise en prose et garde une valeur certaine après cet attentat, moins elle est d'un poète... » Assez longtemps avant ces lignes, Valéry avait plus doucement écrit : « Rares sont les mortels qui ne sont point blessés de ne pas comprendre et qui acceptent bonnement, comme on accepte de ne pas entendre une langue étrangère ou l'algèbre. »

***

Avant 1887, deux ouvrages de Mallarmé écrivain, mis à part ceux du professeur d'anglais, avaient été confiés aux éditeurs, pour de rares libraires et lecteurs, l'un en 1875, le second en 1876 : la traduction du *Corbeau,* d'Edgar Poe, illustrée par Manet ; l'églogue, *l'Après-Midi d'un Faune,* illustrée par Manet. En tout, deux cent quarante exemplaires pour le *Corbeau,* cent quatre-vingt-quinze exemplaires pour *l'Après-Midi d'un Faune.* Les choses se passèrent ensuite comme si une prière de Jules Laforgue à Mallarmé eût déterminé celui-ci à accepter de faire éditer, ensemble ou séparément, vers et proses déjà publiés en des revues ou journaux. Fin novembre 1885, Jules Laforgue, alors à Coblence, avait terminé une lettre, remerciant Mallarmé d'avoir aimé ses *Complaintes,* par ces lignes pressantes : « L'art auquel vous me voyez tendre vous dit assez quelle profonde douceur me laisse ce suffrage de votre part. Je ne l'attendais pas aussi sensible, vus quelques manques de tenue dans ce premier volume.

» Et laissez-moi vous remercier, Monsieur et Cher Poète, par un appel que tous les artistes qui vous connaissent ont dû vous adresser et qu'il vous serait — sans indiscrétion — si naturel de combler. Quand pourrons-nous avoir, à nous, dûment rassemblé et fixé, le trésor de vos poèmes en vers et en prose, pour les étudier, les goûter, par tous les temps, les emporter, etc., pour nous faire enfin humainement et d'un jet idée de qui vous êtes?... »

Peut-être Laforgue, si près de leur intervention, suivait-il Barrès, Huysmans et Verlaine, qui, l'an d'avant, avaient montré l'apport de Mallarmé.

Douze à treize mois après ce vœu, Émile Verhaeren, en relation déjà avec l'éditeur belge Deman, faisait part, à son tour, du désir exprimé par plusieurs, à Bruxelles, d'y voir publier un des livres de Mallarmé. Le 17 janvier 1887, celui-ci répondit à Verhaeren : « J'ai porté ces jours-ci chez Dentu (quel dommage!), rien pourtant n'est absolument fait, un volume de poèmes en prose, deux cents pages et illustrations en couleur et à l'eau-forte de John Lewis Brown (couverture), et Degas, Renoir, Mme Morisot, peut-être aussi de Manet. Titre : *Le Tiroir de laque*. J'en ai demandé cinq cents francs. »

Il y avait plusieurs mois que cette anthologie était commencée. Je crois avoir, en effet, retrouvé, dans un des catalogues de la belle collection Lucien Graux, la maquette du *Tiroir de Laque* [1] telle qu'elle avait été composée pour Tresse et Stock, puis proposée à Dentu. De ce projet, souvent évoqué dans la *Correspondance* de Mallarmé et dans ma biographie du poète, on était resté longtemps sans autres nouvelles que celles échangées par les grands peintres annoncés : par exemple des mots de Degas s'en inquiétant à Cauterets, des lignes de Berthe Morisot invitant Renoir à sa table pour s'entendre avec l'auteur difficile.

Comme d'autres maquettes de ce dernier, réservées à des éditeurs, celle-ci est faite de pages manuscrites, de la main du poète, de pages déjà imprimées ailleurs, dans des Revues, et collées dans un ordre très soigneusement précisé.

Sous le titre *le tiroir de laque,* écrit cette fois sans les trois majuscules à venir, était ajoutée au crayon bleu, de la main de Mallarmé, cette recommandation : « La mise en page est ici à peu près faite. » Le numérotage des feuillets était en effet de sa main. Ces humbles préparatifs le reposaient de ses hauts problèmes et apaisaient ses scrupules d'anxieux. Pas d'autre secrétaire que sa

[1] Vente du 4-6-1957. Mme Vidal-Mégret, expert. M. Rheims, commissaire-priseur.

fille Geneviève, et seulement pour la copie de quelques pages.

Sur la page 3 de ce précieux brouillon, Mallarmé, envisageant une suite, avait tenu à ces deux mots : *Premier Cahier*. Au-dessous, avec une orthographe indécise, distraite ou fautive qu'il est surprenant de trouver ces noms propres : « Illustration en couleurs sur la couverture de John Lewis Brown, à l'eau-forte et à la pointe sèche de Madame Berthe Morizot (*sic*) Renoir et Degaz (*sic*). » Toujours de la main de l'auteur et au bas de cette même page, la date escomptée pour le livre : 1888.

Cette date explique, sous la formule, *Du Même Auteur,* des désignations anticipées d'ouvrages non encore parus chez les libraires, en cette fin de 1886. Divisée en deux étages, *Vers,* en haut, *Prose,* au-dessous, voici la liste des œuvres éditées ou imminentes que l'auteur tenait à rappeler ou annoncer. Aujourd'hui, le recul et la consécration par l'histoire étant intervenus, ces précisions textuelles peuvent ne pas paraître superflues aux meilleurs lecteurs, l'une d'elles devenue pathétique.

VERS, d'abord :

Poésies complètes, autographiées sur le manuscrit, avec un ex-libris de Rops, neuf fascicules, à la librairie de la Revue Indépendante (Prix 100 fr.).

A part : *l'Après-Midi d'un Faune,* édition originale, avec illustrations de Manet (très rare). — *l'Après-Midi d'un Faune,* édition courante définitive, à la librairie de la Revue Indépendante (Prix 2 fr.).

Prochainement *Hérodiade,* édition complète.

Voici, avec cette dernière ligne, la minute d'émotion, car l'annonce si prématurée d'*Hérodiade* en édition complète se révéla aventureuse. Jamais le célèbre poème n'eut sa fin. Mais lisons, au-dessous du compartiment des *Vers* :

PROSE, *Traductions et Réimpressions.*

Les Poèmes de Poe avec illustrations de Manet, à la librairie de l'Art Indépendant (Prix fr.).

Le Vathek de Beckford, copie de l'édition originelle de 1787, avec préface de Stéphane Mallarmé, chez Labitte (Prix fr.).

L'Anthologie des poètes et prosateurs français, Bruxelles, fascicule 10, *Album de Vers et de Prose* (Prix 0,15 centimes).

Au bas de cette page jusqu'ici inédite, une remarque autographe et peut-être irritée de Mallarmé dont il usera plusieurs fois : « Les éditions ci-dessus désignées de ses œuvres sont les seules conformes à la volonté de l'auteur et ont été faites avec ses soins. » Les oublis de quelques noms d'éditeurs étaient-ils vraiment involontaires? Comment le croire? Raymond Lesclide, du *Corbeau* (1875), Alphonse Derenne, du premier *Après-Midi d'un Faune* (1876), Alphonse Labitte, du premier *Vathek* (1876), éditions que les enchères, depuis, ont toujours majorées, — quelle rancune, alors, les éloignait du cœur de l'auteur, ou, en lui, quelle susceptibilité de surmené, quels reproches accumulés?

D'autres traits et mouvements du poète paraissent, en cette période de décisions et d'éditions, qui contribuent à son portrait. Au sujet de l'édition modeste de *l'Après-Midi d'un Faune* à la librairie de la Revue Indépendante, Mallarmé tenait à donner, d'un ton encore courroucé, cette double justification : « C'est par désir d'apporter la correction d'un vers à la noble édition originelle de *l'Après-Midi d'un Faune* et pour improuver toute contrefaçon identique par le format et le choix des corrections. »

Au sujet des *Poèmes d'Edgar Poe* qu'il avait commencé à traduire avant sa vingtième année, Mallarmé devait écrire, un jour, à Mirbeau deux lignes si parfaitement applicables à ses propres poésies qu'on ne saurait omettre de les rappeler : « Je suis heureux que vous ayez goûté Poe, le poète qui est une mortelle eau de source : peu de poèmes tiennent après le chant de ceux-là, trop rares. » Pouvait-on mieux dire ou prophétiser la perfection redoutable des vers de Mallarmé, la décoloration livide qu'ils ont brusquement value à bien des poèmes orgueilleux et le découragement infligé, par leur supériorité, à beaucoup de poètes perspicaces? « Il éblouit et désespère » dira Valéry.

A la page 5 de la maquette aujourd'hui sous nos yeux, Mallarmé ajoutait, pour l'éditeur éventuel, cet avertissement, qui donne à rêver : « Peut-être y aura-t-il ici une dédicace ; c'est à voir une fois la mise en pages faite. » Venait ensuite, en tête de l'ouvrage, la table des matières. Mais nous reviendrons à elle un peu plus loin.

C'est donc à quarante-cinq ans seulement que Mallarmé, en 1887, acceptait de laisser paraître en librairie plusieurs recueils ; coup sur coup peut-on dire aujourd'hui, si l'on en juge sur la durée du retentissement. Sans aucune grandiloquence, mais avec grandeur, ils surpassaient bien des ouvrages de bruyante notoriété. La bibliophilie, avant la critique officielle, le marqua. D'abord pour la luxueuse édition photographiée d'après le manuscrit définitif. Certains exemplaires ont atteint, de nos jours, des prix considérables : faveur que l'histoire littéraire n'a ni à ignorer ni à bouder, même si, dans ses estimations, elle parut devancée par elle. Une admiration retardataire ne saurait se faire excuser par l'aigreur du second temps. De *l'Après-Midi d'un Faune*, édité par Derenne, avec illustrations de Manet et des coquetteries de présentation, elles-mêmes novatrices, couverture en feutre du Japon, titre d'or et tresse en soie rose de Chine, pourquoi ne pas préciser que les exemplaires, vendus à l'origine vingt-cinq francs, ont pu, en enchères récentes, atteindre près d'un million? Malgré le succès qui, très vite, parut s'attacher à ce poème, l'auteur lui-même n'osait croire populaire le nouveau tirage, « courant et définitif », de l'églogue fameuse. Comme pour s'amuser du contraste, Mallarmé consentit, dans la même année, à permettre sa première anthologie de vers et proses ensemble, en une plaquette de douze pages, d'un format de passeport. Cette infime brochure, dite trop avantageusement *Album de Vers et Prose*, le n° 10 de la première série d'une *Anthologie contemporaine des écrivains français et belges*, parut à la fois à Bruxelles et à Paris. Comment ne pas se plaire à rappeler, au sujet de cet album modique (0,15 centimes), qui allait avoir en France un lecteur prédestiné, ce premier choix, pour libraires, en son bref échantillonnage, de morceaux dits par leur auteur « satisfaisants »? *Vers : Les Fenêtres, Les Fleurs, Brise marine, Soupir, Sainte* et quatre sonnets : *Le Vierge, Le Vivace, Victorieusement fui, Mes bouquins refermés, Quand l'ombre... Prose : Plainte d'automne, Frisson d'hiver, La Gloire, Le Nénuphar Blanc.* Un dosage intéressant permettrait d'énumérer les raisons sentimentales des choix, dans cette sélection due au juge de soi le moins complaisant. Les hommages à la sœur morte Maria, ceux à l'épouse, à leur fille Geneviève et même à Méry Laurent y sont. Quant à la longue abstention après 1878, au moins en librairie, n'était-elle pas un hommage silencieux à la mémoire d'Anatole, le fils perdu si tôt?

Avant de songer à Dentu, pour le *Tiroir de Laque* en préparation, Mallarmé avait-il songé à un autre éditeur? Une lettre à Albert Nocée, premier directeur littéraire des livrets de l'Anthologie belge, le fait penser : « Est-il temps encore, pour compléter la bibliographie, d'ajouter : « En préparation, *Le Tiroir de Laque* (premier cahier), un volume, avec illustrations, chez Tresse et Stock ? »

Revenons à la véritable maquette du Livre si souvent annoncé et jamais édité sous ce titre. La table ne comportait que des proses, avec vingt sous-titres, plusieurs d'entre eux surprenants. Le poème VII était intitulé *Forains*, visiblement substitué à cet autre mot, si usuel autrefois en province pour désigner la patache bariolée et l'attirail insolite d'un équipage de romanichels : *Baraques*. Le poème VIII avait pour titre : *Môme sagace*. Et, à la première des deux pages réservées, dans le corps de cette ébauche, à ce poème, Mallarmé, sur le point de croire réaliser son projet, avait noté au crayon bleu : « Ce poème qui a été égaré sera envoyé par un prochain courrier. »

Sous le numéro XIII, était annoncé, dans la table, un poème fort ancien, *Trois Livres de Vers sur mon Divan. Invocation et Soliloque*; il concernait Baudelaire, Gautier, Banville, aînés préférés ; mais les cinq pages d'épreuves utilisées avaient été rayées et précédées finalement de ce rappel ou adieu bref : morceau supprimé. L'âge des révérences était passé non celui de la gratitude.

Parmi les vingt morceaux de prose retenus dans le projet *Tiroir de Laque*, deux d'entre eux eussent pu être prévisibles : *Le morceau pour me résumer Vathek* et *Richard Wagner, Rêverie d'un Poète Français*. Du premier, l'auteur avait écrit, à Swinburne, qu'il était un de ses écrits les plus étudiés ; sur le second, il avait confié naguère à

Édouard Dujardin : « ... J'ai passé la journée de jeudi et d'aujourd'hui sur l'étude que vous me demandez, moitié article, moitié poème en prose, et je ne suis point parvenu à l'achever. Jamais rien ne m'a paru plus difficile. Songez donc, je suis malade, plus que jamais esclave, je n'ai jamais rien vu de Wagner, et je veux faire quelque chose d'original et de juste, et qui ne soit pas à côté. Je ne travaillerai pas à autre chose, vous avez ma parole, que ceci ne soit fini. »

La douceur, la courtoisie de Mallarmé ne semblent guère avoir été désorientées ou découragées que par des éditeurs. Son abord les surprenait agréablement, car il avait des manières. Plusieurs d'entre eux goûtèrent même ses ménagements sentencieux. D'autres l'amenèrent à renoncer à ses façons amènes ; l'un, surtout, l'exaspéra. Mais qu'advint-il de Tresse et Stock, de Dentu, au sujet du *Tiroir de Laque,* et des esquisses des grands illustrateurs ? Ne peut-on pas trouver un début d'éclaircissement dans cette lettre à Verhaeren du 25 mars 1888 : « ... Que devient votre ami et un peu le mien Monsieur Deman ? Un rêveur, à notre fréquentation, sans doute. Veuillez, cher ami, aussitôt que vous le verrez, lui dire de ma part que pour le *Poe* au moins, il ne perde pas une minute, attendu que Vanier se remue ou fait mine : il a dit qu'après tout il fallait songer à publier Mallarmé et que c'était bouder contre son ventre qu'agir autrement. Or comme il ne procède jamais que par à-coups sournois, le mieux est de se tenir sur ses gardes : son édition dérisoirement chère et manquant de goût comme tout ce qu'il fait seul ne peut être que lamentable et, pour ce motif, je ne reconnais pour mienne que celle de Bruxelles, ainsi que je l'annonce dans toutes mes notices bibliographiques, mais il faut nous assurer la priorité... »

Après cette lettre et ses accents successifs de candeur, d'orgueil consolateur, de fureur brève, les événements de librairie s'accélèrent : *Les Poèmes de Poe* parurent en édition luxueuse chez Deman, en édition bâclée chez Vanier, mais dans l'ordre souhaité, l'une en 1888 pour bibliophiles, l'autre en 1889 pour un plus grand nombre de lecteurs. Et c'est chez Deman, encore, que sortirent, avec le titre *Pages* et sous de beaux atours, les vingt morceaux de prose rassemblés d'abord sous le titre japonisant, finalement abandonné : *Tiroir de Laque*.

Pages comportait cinquante exemplaires sur Japon impérial, deux cent soixante-quinze sur Hollande, chacun avec un frontispice de Renoir, en deux états pour les exemplaires sur Japon.

Seul des quatre illustrateurs pressentis, Renoir était présent. Sans long tourment, le peintre avait traduit, avec succulence, ce célèbre fragment du poème en prose, *Le Phénomène Futur*, par lequel s'ouvrait le bel ouvrage : « J'appelle vivante (et préservée à travers les ans par la science souveraine) une Femme d'autrefois. Quelque folie, originelle et naïve, une extase d'or, je ne sais quoi! par elle nommée sa chevelure, se ploie avec la grâce des étoffes autour d'un visage qu'éclaire la nudité sanglante de ses lèvres. A la place du vêtement vain elle a un corps; et les yeux, semblables aux pierres rares, ne valent pas ce regard qui sort de sa chair heureuse : des seins levés comme s'ils étaient pleins d'un lait éternel, la pointe vers le ciel, aux jambes lisses qui gardent le sel de la mer première. »

Pour ce beau livre *Pages*, substitué à *Tiroir de Laque*, l'envoi des exemplaires, le dépouillement des compliments reçus, tout commença vite. A Verlaine, l'un des premiers Hollande, annoncé par ce mot de l'auteur, le 21 mai 1891 [1] : « Voulez-vous prier votre ami qui s'a-

[1] Le 11 mai, impatient de lecture ou en quête de subsides, Verlaine avait écrit à Mallarmé : « Mon cher Mallarmé, je vous présente un de mes bons amis, mon ancien élève Edmond Thomas,

venture dans Batignolles, de prendre chez mon concierge (89, rue de Rome) votre exemplaire de *Pages,* qui attend là : je n'ai pas le temps, ce soir bousculé par le train, de vous l'adresser directement. » L'un des premiers remerciements, arrivé en juin, de Combs-la-Ville, fut de Coppée, dit le poète des humbles et lui-même d'humilité facile : « Merci pour ces *Pages.* J'en reconnus que j'aime et admire depuis plus de vingt ans. Dans les plus récentes vous voilez un peu trop — pour mon humble goût — votre rêve ; mais c'est toujours celui d'un poète exquis. » Trouvée dans une lettre autographe de Mallarmé qui « truffe », depuis longtemps, l'exemplaire d'un collectionneur, je vais transcrire une liste de noms d'amis établie par l'auteur. Voici comment, le 18 juin 1891, Mallarmé formulait, de Valvins, ses recommandations et désignait les destinataires de dédicaces, dans cette lettre : « Mon Cher Ami, j'ai plusieurs fois dû aller vous porter ces dédicaces à insérer au feuillet qui porte *Exemplaire offert à* de *Pages,* et vous prier de le faire remettre aux adresses ci-contre. La paresse à quitter un bord de rivière et le feuillage est inimagi-

qui veut bien se charger de vous prendre mon exemplaire de votre bouquin... Accueillez-le comme il le mérite, et tout à vous. P. Verlaine. »

nable ; et naturellement comme je suis en retard, voilà que je vous demande de presser cette distribution. Il y aura quelques petits frais que je réglerai à mon retour ; mais pardon de la peine et amitiés... La vente va-t-elle un peu? Jusqu'à présent la Presse n'a pas donné. »

Aux fidèles actuels du poète, il ne peut paraître inutile de connaître, grâce à son post-scriptum, la liste complète des exemplaires offerts à cette date, par l'auteur. Plus qu'à une nomenclature des amours de l'écrivain, je ne m'attache qu'à l'histoire de son activité de créateur. Elle m'intéresse davantage que la suite des aventures sentimentales, assez souvent dérisoire, d'un poète père de famille, et que les fébricules d'un érotisme resté fort tempéré. Voici, jusqu'à la dernière ligne, la lettre opportune et les noms privilégiés. Je n'omets que les adresses correspondantes : « Paris, à faire porter : François Coppée, Georges Rodenbach, Jean Marras, Léon Dierx, Odilon Redon, Georges Vanor, Gustave Geffroy, Étienne Grosclaude, Docteur Evans, Leconte de Lisle, Docteur A. Robin, Jean Moréas, Francis Vielé-Griffin, Téodor de Wyzewa, M. M. de Rosny ; Léon Cladel (il y aurait peut-être lieu de le faire porter par un ami, ou de saisir la première occasion). Claude Monet, Madame Manet, prévenus, viendront les prendre rue Chaussée-d'Antin, soit 19, et j'ai fait prendre par eux-mêmes les exemplaires de Charles Morice, M. Seignobos, Champsaur, Vittorio Pica : un a dû être envoyé au Docteur Hutinel, 13, rue de La-Boétie, soit 5. Total 24. »

Cette lettre avait probablement été adressée, non à Deman éditeur belge, mais à Bailly libraire rue de la Chaussée-d'Antin, ainsi que peut le confirmer ce mot adressé par Mallarmé à Henri de Régnier, le 1er juillet 1891 : « Quand vous écrirez à l'authentique Griffin, faites-lui, je vous prie, savoir qu'un exemplaire de *Pages* existe à son nom, chez Bailly, guettant l'occasion. »

Le 7 août, l'auteur remerciait Lucien Mühlfeld de ses impressions de lecteur et le complimentait, pour ainsi dire, de ses compliments : « Merci tant, cher Monsieur Mühlfeld pour tant de perspicacité et d'attention, qui vont jusqu'à m'éclairer sur le type même, par instinct songé, des petites compositions que je rangeai sous le nom de *Pages*. Vous avez eu une certitude de regard surprenante... » Cette dernière ligne n'était-elle qu'approbation ? Dix jours plus tard, c'est à Deman que Mallarmé faisait part d'un contentement à la fois récapitulatif et prometteur : « Tout cela me semble parfait, et d'abord que vous ayez, outre le *Poe, Pages et Vers*, toute une période de ma vie, le Mallarmé d'avant la lettre... » Billet d'autant plus émouvant que les trois titres, en leur accélération, y sonnent aujourd'hui tristement puisque les *Vers* ne parurent chez Deman qu'un an après la mort du poète.

Cette édition projetée des *Poésies,* Deman l'eût volontiers préparée, ainsi que Dujardin, par un fac-similé luxueux ; mais Mallarmé précisa qu'il n'y avait pas lieu de refaire une reproduction de manuscrit : « Cela passe une fois à titre d'exception, mais le vers y perd. Le vers n'est très beau que dans son caractère impersonnel, c'est-à-dire typographique : sauf, bien entendu, à faire graver, si l'on veut donner à l'édition quelque chose d'immuable et de monumental. A cent exemplaires, à prix élevé et sous le titre *Vers de Stéphane Mallarmé.* » Ah ! le superbe mouvement d'orgueil et avoué avec grâce, que ce vœu des vers gravés !

Quelques mois à peine passés, Mallarmé optait pour un format presque analogue à celui de *Pages,* mais plus carré, et de prix très abaissé, six francs. L'orgueil a ses intermittences. Tout fut préparé, l'accord obtenu. Mais cinq ans d'une attente assez mal expliquée passèrent...

Après cette parenthèse, revenons un moment à *Pages,* ce qui nous conduit à *Vers et Prose.* Un ami anglais de Mallarmé, John Payne, dont l'exemplaire porte cet envoi, *Toujours à Payne,* envoya, parmi ses félicitations, une remarque clairvoyante : « J'attendais pour répondre à ta bonne lettre l'arrivée de ton livre. Enfin le voici. En le feuilletant, je retrouve avec bonheur tous les petits chefs-d'œuvre, tels que *Plainte d'automne*, qui m'a toujours semblé avoir donné le ton à Huysmans pour *A Rebours.* » Influence due à plusieurs phrases de l'admirable poème, celle-ci notamment : « De même la littérature à laquelle mon esprit demande une volupté sera la poésie agonisante des derniers moments de Rome, tant, cependant, qu'elle ne respire aucunement l'approche rajeunissante des Barbares et ne bégaie point le latin enfantin des premières proses chrétiennes. » Mallarmé inspirateur de *A Rebours, A Rebours* excitant particulièrement Valéry jeune, une des lignes scintillantes de la fin du XIXe siècle serait donc si nette?

Il ne saurait être question de retenir trop de lettres enthousiastes sur *Pages*. D'une seule autre, cependant, un fragment. Le cher Georges Rodenbach, qui était ému, depuis juin, de cette agréable dédicace : « En même admiration qu'amitié » ne félicita pas seulement par correspondance, mais aussi par un article. Dans son message : « ... Et combien j'ai plus encore senti dans ce sens en relisant ici ces merveilleux poèmes en prose :

les uns comme *Plainte d'Automne* et *Frisson d'Hiver*, déjà avec une éternité tranquille de musée, d'autres qu'on sent encore fortifiés de votre présence, que traverse l'ombre de votre geste, où l'on entend votre voix...

» Toujours c'est une vive jouissance d'art! Et de nouveau vous m'avez communiqué sous les espèces de tels mots magiques qui sont vôtres et où fut vraiment par vous transsubstantié l'Infini. »

Deux minutes avant d'en arriver à *Vers et Prose*, je rappelle, pour les lecteurs qui ne le connaîtraient pas, un croquis parisien d'alors, dû à Paul Valéry. Tandis que celui-ci fumait un jour des cigarettes, chez Bailly, il vit descendre de sa victoria, avec lenteur, une opulente jeune femme blonde, avivée de bien d'autres couleurs. Entrée avec majesté et, sans doute, quelques cliquetis de bijoux, chez le libraire de la Chaussée-d'Antin, elle acheta, d'un air détaché, un exemplaire de *Pages*. Puis, regagnant sa voiture, elle y déposa le livre sur le plancher, et, appuyant ses deux pieds sur les mots magiques du poète ami, s'éloigna, regardant vaniteusement ou vaguement au loin. Ce Constantin Guys imprévu, c'était Méry Laurent! Et la poésie sous les talons d'une lorette de luxe, quel symbole! Mais soyons sûrs que sa généreuse tendresse pour Mallarmé la garda d'une de ses étourderies non exceptionnelles : par exemple, avec plus d'innocence que le spirituel et cruel Alfred Capus, jeter à un écrivain lui annonçant l'envoi prochain de son livre : « N'en faites rien. Je l'achèterai! Vous saurez qui c'est! »

Il ne fut plus question du *Tiroir de Laque*. La maquette d'autrefois était assez exactement devenue *Pages* pour qu'il y eût identité. L'un tenait définitivement lieu de l'autre. Le titre *Forains* était remplacé par *Un Spectacle interrompu*; celui de *Môme sagace* par *Réminiscence; La Gloire, Le Nénuphar Blanc* avaient permuté. Et, dans la table, Mallarmé avait usé de l'une des deux orthographes licites : *Nénufar*.

Mallarmé, vers la fin de la même année, songea aussi à une seconde édition du *Vathek*, avec la longue préface qu'il en avait particulièrement soignée. Dans une lettre où se lit quelque rancune contre le premier éditeur, en France, de ce conte oriental, Mallarmé s'ouvrit, d'abord, de son nouveau projet, à Léon Vanier : « ... J'aurai par la même occasion un renseignement à vous demander. Il me plairait de faire d'ici peu une édition proprette et courante du *Vathek*, qu'on me demande perpétuellement et depuis *Pages* surtout : est-il exact, je vous demande cela parce que vous avez pu être à même de le vérifier, au besoin et mieux que personne, que la maison Labitte se refuse à livrer les quelques exemplaires restants de sa réimpression de luxe? Je voudrais bien, campagnard pour quelques semaines encore, être fixé à cet égard, et j'ai perdu de vue ladite maison. » Il semble, tout au contraire, que Mallarmé fut très satisfait de l'éditeur Perrin auquel Théodor de Wyzewa, influent dans la librairie académique — « il y fait ce qu'il veut » disait Henri de Régnier — avait peut-être recommandé de saisir l'occasion négligée ou trop lentement envisagée par Vanier. La désinvolture de celui-ci était-elle devenue si notoire qu'Henri de Régnier pût écrire à cette époque, d'un ton si peu surpris, à Vielé-Griffin : « Et Vanier, il faudrait pourtant que cet embargo prenne fin et que ton livre paraisse ; il est très capable de le faire paraître en faisant lui-même les dédicaces comme pour les *Poèmes de Poe* de Mallarmé. » Au sujet de *Vers et Prose*, Mallarmé adressa à Perrin la lettre qu'on va lire, mais elle n'arriva pas, semble-t-il, dans l'enveloppe enrichie du quatrain postal que voici en son premier état :

Tels qui resteront sur l'airain
Dédaigneux du simili-Zinc
S'impriment vifs chez Paul Perrin
Quai des Augustins, trente-cinq.

Lorsque le contentement réciproque, entre auteur et éditeur, fut confirmé, le troisième vers du quatrain devint, semble-t-il,

S'impriment chez, seul, Perrin

L'enveloppe précieuse avait le timbre du bureau de la rue Montaigne et du 5 février 1893. La lettre qui suit, venait de Honfleur, où Mallarmé villégiaturait : « Mon cher Éditeur. Je vous envoie les épreuves revues à fond, au travers de paresses : des corrections aux notes et quelques remaniements de mise en page. Voulez-vous m'en faire parvenir de nouveau. J'y passe encore, au moins, la semaine. Je n'ai pas pressé l'apparition de l'article du *Journal,* préférant user des privilèges de l'absence. Nous avons donc tout le temps. Voici de retour la convention entre vous et moi, signée, à cela près que vous voulez bien y ajouter la réserve ci-jointe. Le livre vous appartiendra toujours comme de juste ; mais quant au texte même, je garde pour habitude de ne l'aliéner jamais.

» Au revoir. Mes compliments à partager avec M. votre

frère. Aujourd'hui, avec un ciel sombre et du froid, c'est à mon tour presque de vous envier. Bien à vous.

» Ajouter à l'article Ier :

» Mais il (M. Mallarmé) se réserve d'en reproduire, soit chez M. M. Perrin ou, d'un gré commun, autre part, l'ensemble ou tel morceau, dans tout ouvrage général portant un titre différent, ainsi que dans ses œuvres complètes : cela seulement après la première édition épuisée (1). »

Avec le regretté G. Jean-Aubry, nous avions, en vue des *Œuvres Complètes* (Bibliothèque de la Pléiade), pu consulter un dossier par place lacunaire, dans lequel Mallarmé avait rassemblé, en maquette, le texte prévu pour le volume *Vers et Prose*. Une page de titre, écrite par une main étrangère, portait cette indication inattendue : « Morceaux choisis, avec un portrait gravé au burin par Marcellin Desboutin. Paris, librairie Perrin, 1893. Tous droits réservés (2). »

Pour les détails concernant cette autre maquette, je renvoie à ce que nous avons écrit, avec G. Jean-Aubry (3).

(1) Je dois à M. M. Jullian les copies du quatrain et de la lettre.
(2) Un portrait de Villiers par Desboutin sera utilisé par l'éditeur Lacomblez pour le livre de Mallarmé sur son plus cher ami.
(3) Œuvres Complètes de Mallarmé (La Pléiade) p. 1394-1395.

Nous faisions surtout remarquer qu'elle ne contenait pas, de la splendide conférence sur Villiers de L'Isle-Adam, l'extrait qui devait figurer, en définitive, dans le volume.

Dans la correction d'épreuves une inadvertance singulière : Mallarmé avait laissé, après la table, une note dont les numéros renvoyaient, non aux pages éditées, mais à celles du recueil manuscrit constitué d'abord par lui, négligence qui rendait presque inintelligible cette note terminale. Tout scrupuleux et minutieux que fût l'écrivain, dans son œuvre, l'était-il, avec une égale application, pendant la correction des placards? Mallarmé avait oublié de relever plusieurs de ces coquilles mortifiantes dont souffrent, assez longtemps après la sortie du livre, les auteurs, fautifs ou non. Les relever ici exigerait trop de place.

Le texte de *l'Avant-Dire* aurait pu sembler être de l'éditeur, si la forme, plus révélatrice qu'une signature, n'eût aussitôt averti. J'ajoute que dans la maquette en question le texte autographe était de la main de Mallarmé et se terminait par cette phrase non encore corrigée : « Un portrait inédit dû à l'excellent graveur Marcellin Desboutin sert ici de frontispice. » Pour ce bref avant-propos, Mallarmé demandait un titre en

capitales d'italiques et le texte, en italiques, très interligné. Mais cette étude de la maquette de *Vers et Prose* sera un jour complétée. L'auteur, qu'on en juge, se défendait, un peu, de vouloir toujours à son œuvre les *fermoirs d'or* évoqués dans son premier manifeste. Voici l'avant-dire édité : « *Afin d'obvier à des déprédations et souhaitant se mettre en rapport aisé avec le lettré amateur de publications courantes, M. Mallarmé a imaginé de donner lui-même ce Florilège ou très modeste anthologie, de ses écrits, à quoi la librairie Perrin voulut apporter des soins.*
Ce petit recueil peut suffire au Public, comme inciter chez lui la curiosité d'ouvrages luxueux complets.
Une lithographie de Whistler, portrait inédit, sert de frontispice. »
Parmi les tout derniers préparatifs, chez Perrin, ce message de Mallarmé à Whistler rassure sur les impressions du modèle et ne cessera d'intriguer par sa dernière ligne concernant la technique d'autres portraits de lui. « Tout s'est passé à souhait. Perrin a dû se rendre aujourd'hui même chez Bellafond (*sic*) pour faire tirer lundi. A moins d'un mot de vous il préfère le Chine volant au Chine collé. Il n'a aucune objection au changement d'imprimerie. Alors, pour le récompenser, je lui ai fait comprendre l'honneur, pour la maison, de possé-

der, exceptionnellement, un Whistler. Ce portrait est une merveille, la seule chose qui ait été faite d'après moi, et je m'y souris... » En réalité le portrait fut annoncé : « sur Chine collé sur blanc ; timbre sur rond : Imprimé par Bellefont et Cie ».

Ami du poète et du peintre, Théodore Duret, dans son ouvrage sur celui-ci, a précisé tôt, les mérites du portrait, jugé, par les familiers, l'un des plus évocateurs : « Mallarmé est d'une étonnante ressemblance, le bras en mouvement et la tête inclinée, selon son habitude, lorsqu'il conversait avec des amis. Ceux qui l'ont connu peuvent croire qu'ils l'entendent parler. L'image n'existe cependant que comme un souffle. Elle est venue du plus rapide coup de crayon. C'est une improvisation et on n'improvise pas le rendu aussi frappant d'un être humain, il faut l'avoir profondément pénétré pour le donner avec cette intensité de vie et de caractère. Mais aussi la petite figure, tout en étant venue d'une improvisation n'en était pas moins due au travail serré et prolongé. Whistler avait tenu Mallarmé à poser assez longtemps. Il dessinait rapidement, comme la notion de l'œuvre légère qu'il voulait faire le lui commandait, mais les premières images ainsi obtenues, avant qu'il eût bien pénétré son modèle, lui semblaient faibles et il les déchirait pour recommencer. Mallarmé qui ne s'expliquait pas bien la méthode avait comme perdu l'espoir d'une réussite, lorsque Whistler, au moment voulu, produisait une dernière improvisation, celle-là parfaite et condensant toute l'observation accumulée pendant les essais préliminaires. Mallarmé et Whistler s'étaient liés d'amitié. Rapprochés par un fond commun de raffinement et de délicatesse, ils différaient cependant de tout au tout, comme caractère et comme humeur ; autant l'un était paisible, porté à l'indulgence, autant l'autre était surexcitable et belliqueux. »

Souvent déçu par ses éditeurs ou croyant à des préjudices, Mallarmé trouvait, en Perrin, un homme selon ses goûts, et lui recommandait bientôt Henri de Régnier. Au sortir du rendez-vous et du dialogue, sur un projet d'*Anthologies des Poètes Nouveaux*, ce dernier faisait savoir, à son ami Vielé-Griffin, que Perrin était fort courtois et que Mallarmé était à la fois Platon et le Prince de Ligne. Rien n'expliquerait mieux que ce jugement les animosités suscitées encore par Mallarmé et la vulgarité dont elles passeront un jour pour avoir été l'infaillible signe. Son désintéressement et sa distinction ont toujours irrité, en particulier, les écornifleurs-nés et les écrivains devenus négociants.

Lorsque Mallarmé préparait le *Tiroir de Laque*, il avait informé Verhaeren de sa décision de « liquider son passé » et d'aller chez Dentu avec sa maquette sous le bras. En 1893, le voici arrivé, enfin, à sa dernière année de professorat, à quelques mois de sa retraite. Était-ce la préparer un peu, matériellement, cette retraite, qu'avoir publié, dans les plus récentes années, plusieurs ouvrages ? Ou Mallarmé avait-il pressenti le déclin de ses forces ? En ce printemps, Henri de Régnier l'avait trouvé « si fatigué d'une grippe si persistante » qu'elle en avait « quelque chose d'inquiétant ». Et de son maître, H. de Régnier recevait ces mots, eux-mêmes préoccupants : « Rien de ma santé ; elle est mauvaise. » Déjà Mallarmé avait obtenu, « par avances », et le 12 août et le 17 octobre 1892, c'est-à-dire deux fois, la somme de cent soixante-quinze francs, pour solde de la première et de la seconde moitié de ses droits d'auteur, sur la première édition, à mille exemplaires, de son recueil [1]. De 1893 à 1955, il y eut, *de Vers et Prose*, quatorze tirages : tout près de 20000 exemplaires : comme si ce

[1] D'après deux reçus signés de sa main et qu'a bien voulu me communiquer M. Marcel Jullian.

volume avait été, compte tenu de deux guerres, acheté par deux cent cinquante lecteurs par an, environ !

C'est en décembre 1892 que Mallarmé, presque témérairement, avait annoncé à l'écrivain anglais Edmund Gosse, comme il l'avait fait, déjà, à Jules Boissière, un « vrai début » dans la littérature : « J'ai beaucoup travaillé, publié très peu, seulement ce qu'ont pris, un peu de force et au hasard, des publications amies. J'aurais préféré garder un silence entier, dans la préparation de travaux qui vont, dès l'an prochain, commencer à paraître avec régularité. (1). Tant pis ! ces brèves envolées n'en indiquent pas moins des points de repère très exacts de mon esprit; on m'a fait, sur les manuscrits, des copies luxueuses et infiniment rares. Le petit volume *Vers et Prose* que je voulais appeler *Florilège* n'est lui-même qu'un choix de déjà succinctes publications, mystérieuses à la fois et sues par cœur ici... » Ces dix derniers mots, avec leur double allusion, par Mallarmé, à certain hermétisme de ses écrits et à la faveur de ses disciples, ne valaient-ils pas d'être relus ?

La deuxième des deux lettres (10 janvier 1893), retrouvées et publiées par Alain Lhombreaud, n'est ni moins

(1) Serait-ce l'annonce d'une série de poèmes, analogues en ampleur, chacun, au COUP de DÉS.

émouvante, ni moins importante, que la première, le passage qui suit pouvant suffire à en convaincre : « Tout est là. Je fais de la Musique et appelle ainsi non celle qu'on peut tirer du rapprochement euphonique des mots, cette première condition va de soi, mais l'au-delà magiquement produit par certaines dispositions de la parole ; où celle-ci ne reste qu'à l'état de communication matérielle avec le lecteur comme les touches d'un piano. Vraiment entre les lignes et au-dessus du regard cela se passe en toute pureté, sans l'entremise des cordes à boyaux et des pistons, comme à l'orchestre qui est déjà industriel ; mais c'est la même chose que l'orchestre, sauf que littérairement ou silencieusement. Les poètes de tous les temps n'ont jamais fait autrement et il est aujourd'hui, voilà tout, amusant d'en avoir conscience. Employez Musique dans le sens grec, au fond signifiant Idée ou rythme entre des rapports ; là plus divine que dans l'expression publique ou symphonique. Très mal dit, en causant, mais vous saisissez, ou plutôt avez saisi tout au long de cette belle étude qu'il faut garder telle quelle intacte. » Cette dernière ligne concernait l'article qu'Edmund Gosse venait de consacrer à Mallarmé et songeait déjà à retoucher. En son style épistolaire, si évocateur, sans doute, de sa célèbre conversation, Mallarmé ajoutait : « Je ne vous chicane que sur l'obscurité : non, cher poète, excepté par maladresse ou gaucherie, je ne suis pas obscur, du moment qu'on me lit pour y chercher ce que j'énonce plus haut, ou la manifestation d'un art qui se sert — mettons incidemment, j'en sais la cause profonde — du langage : et le deviens bien sûr si l'on se trompe et croit ouvrir le journal. J'ai trouvé l'autre jour l'étude que voici, d'un très solide et fin critique lequel insiste, selon moi, avec raison, riez, je vous serre la main, sur ma clarté. »

L'article d'Edmund Gosse avait paru dans la Revue londonienne *The Academy*, en première page, le 7 janvier 1893 ; la date en faisait, pour intimes, un jubilé. En France, nul n'avait réservé égal honneur à l'un des plus grands poètes — « le plus grand », a-t-on le plaisir de lire, en 1960, dans le dernier ouvrage de Jean-Paul Sartre [1].

Avec raison Alain Lhombreaud a ajouté à ces lettres importantes, pour en éclairer l'une des dernières lignes, un extrait d'une étude de Wyzewa et un extrait d'une étude de Retté. Du premier : « Les poèmes (de Mallarmé) sont l'œuvre, non de littérature, mais d'art... Leur poésie est avant tout une musique. Et les poèmes

[1] Jean-Paul Sartre.

de Mallarmé n'ont pas seulement cette musique qui résulte des variations de rythmes et de l'agencement des mots. Ils sont encore l'harmonieux écho d'une âme magnifique de poète : c'est par là qu'il nous touche le plus. » Jamais sans doute l'alliance *d'animus* et *d'anima* ne fut plus étroite et consciente. Rien ne distingua mieux Mallarmé, parmi les poètes, des orateurs avantageux, des pédants solennels, des contemplateurs d'eux-mêmes. Retté, bientôt infidèle, pensait et disait alors : « Autre chose encore : l'Idée pure, l'Idée belle règne en ces poèmes, en ces proses ; on les sent voulus, parfaits de forme, à ce point qu'on ne peut les concevoir autres, à ce point qu'ils scintillent pareils à des diamants retenant captifs des étoiles. Enfin on y admire l'incomparable clarté de l'expression. » Est-ce à ces derniers mots que Mallarmé avait fait allusion dans sa seconde lettre à Edmund Gosse ?

Avant et même après la parution d'un livre, il n'est pas facile de prévoir ou de mesurer son destin essentiel, son action primordiale. Et voilà, pour la minuscule brochure de Bruxelles, *Album de Vers et Prose* et pour

Vers et Prose, chez Perrin, qu'on peut leur découvrir deux lecteurs enthousiastes, mémorables, on pourrait dire prédestinés. Ces éditions, qui se voulurent écartées de tout luxe, ont été consacrées bien autrement que par l'éclat des enchères. Les deux petits livres ont été, à tour de rôle, bréviaires mallarméens, le premier en 1888, le second en 1894 ; l'un pour Paul Valéry, *Vers et Prose* pour Paul Claudel.

Ayant eu à conter, pendant une conférence des *Annales*, quelques-uns de ses premiers souvenirs, Paul Valéry, en 1933, insista, en termes inoubliables, sur sa rencontre de Mallarmé. Le texte en est reproduit dans le premier volume des *Œuvres Complètes* de la Bibliothèque de la Pléiade, présentées et si parfaitement annotées par Jean Hytier. Voici de brefs fragments : « J'habitais alors la province... Un jour un choix de poésies trouvé par hasard me révéla quelques pièces de ce Mallarmé dont j'avais une idée si vague. Rien de plus surprenant que cette petite collection. J'y trouvais d'abord deux ou trois poèmes qui témoignaient la maîtrise admirable de l'auteur par la perfection et la distinction de leur forme, la plénitude de cette forme, la volonté soutenue et récompensée de construire et d'imposer des vers *accomplis* : impossibles à souhaiter différents. » A ce moment de sa conférence, Paul Valéry priait l'artiste qui l'avait accompagné sur la scène, Mme Moréno, de vouloir bien lire *BriseMarine* et *les Fenêtres*. Du premier des deux poèmes dont on a vu plus haut, dans cette préface, quelle place ils avaient dans la collection vulgarisatrice en question, Valéry disait qu'il faisait songer à du Baudelaire plus condensé et d'une sonorité plus délicate. Le second poème fut l'occasion d'accentuer cette influence baudelairienne. Elle fut même étendue aux deux poètes les plus originaux de la poésie française et, pour chacun, à un laps de temps élargi : « La couleur (chez Rimbaud) est plus crue, le réalisme plus brutal, le lyrisme moins pur que chez Mallarmé. Mais l'un et l'autre, dans cette même dizaine d'années (entre 1862 et 1872), sous la même influence (qui est celle de Baudelaire), témoignent selon sa nature, le désir d'accroître à la fois *la teneur* en réalisme et la teneur en mysticisme lyrique de la poésie. » Mais si Valéry étalait un peu la durée d'influence baudelairienne sur ces deux aînés, si vite créateurs, il ne songeait pas, même dans cet entretien pour femmes du monde, à atténuer le souvenir de l'influence sur lui, de Mallarmé, influence que certains critiques, par flatterie, oubli ou piperie, vont jusqu'à taire : « La méthode la plus vraie » disait le disciple reconnaissant, si original à son tour, « (la plus sincère et d'ailleurs la plus séduisante) pour intéresser les autres à un poète qu'on a soi-même connu, dont on a pu soi-même sur soi-même observer l'influence, l'action, d'abord à l'état incertain et comme latent ; puis croissante, puis triomphante ; enfin, atteignant ses limites qui sont les limites mêmes des expressions finies d'un esprit différent... »

Poursuivant le rappel de ses souvenirs montpelliérains, après la déclaration capitale qui précède et qui a sans doute échappé à bien des spécialistes, Valéry revenait à l'humble brochure si efficace : « Je disais que j'avais eu entre les mains un recueil, une de ces anthologies de poètes qu'on trouvait presque dans les gares de chemins de fer, et dans ce livret, un choix de poèmes de Mallarmé et ce choix si surprenant en lui-même. D'une part des pièces comme celles que vous venez d'entendre, pièces de clarté immédiate et de valeur incontestable, qui montraient que leur auteur était un poète de premier ordre, c'étaient des morceaux dont je demeurais entièrement émerveillé. D'autre part, certains morceaux qui me réduisaient à la stupeur, pièces dans lesquelles je trouvais combinées à la netteté, à l'éclat, au mouvement, à la sonorité la plus pleine, d'étranges difficultés : des associations insolubles, une syntaxe parfois singulière, la pensée arrêtée à chaque strophe dans sa lecture ; en un mot, le contraste le plus surprenant s'imposait entre ce qu'on pourrait appeler la contemplation de ces vers, *leur physique* et leur résistance à l'intellection immédiate... » Je rappelle que les sonnets, assez loin d'être les plus difficiles de Mallarmé, étaient : *Le vierge, le vivace et le bel aujourd'hui* ; *Victorieusement fui le suicide beau; Mes bouquins refermés sur le nom de Paphos; Quand l'ombre menaça de la fatale loi*. Ne dirait-on pas à réentendre ces accords valéryens qu'à côté de remarques rejoignant celles de Retté, cette confidence de ses premières impressions de lecteur contient une démonstration toute spontanée de sa propre précocité? C'est au livre *Vers et Prose* et aussi à un autre livre de Mallarmé, chez Perrin, *La Musique et les Lettres*, que Paul Claudel, à plusieurs reprises, a fait lui, allusion, accordant ainsi, au petit livre à couverture bleue, sa place historique dans l'aventure de cet autre très grand esprit. Claudel a toujours préféré parmi les vers de son « vieux maître » ceux qu'on trouve dans *Vers et Prose* et il a été un des plus sagaces et avertis lecteurs des proses rassemblées dans ce livre. N'écrivait-il pas ceci à Mallarmé, en 1896, de Fou-tchéou? « Votre phrase où dans l'aérien contrepoids des ablatifs absolus et des incidentes, la proposition principale n'existe que du fait de son absence, se maintient dans une sorte d'équilibre instable et me rappelle ces dessins japonais où la ligne n'est dessinée que par son blanc, et n'est que le geste résumé qu'elle trace. Étant donné un grand écrivain il fallait qu'il fût parisien pour inventer un pareil style et s'en servir. » Claudel se trouvait être l'un des premiers à célébrer la prose de Mallarmé, prose incomparable si l'inspiration, l'invention, la création, avec la richesse et la propriété du vocabulaire, si la grâce, la force, le mouvement, la musique, la couleur, le lyrisme, avec la netteté, l'imprévisibilité, l'originalité, la somptuosité des qualificatifs et des images, avec la science des sons et le génie des significations, une syntaxe enrichie, un goût incorruptible avec l'esprit, l'humour, la tendresse, la pudeur, certaine spiritualité et une irrésistible magie, sont, avec bien d'autres, qualités de prosateur ! Sous les yeux exceptionnels des deux jeunes hommes que j'ai cités, les deux bréviaires mallarméens furent d'action immédiate et singulière : « J'observais que ces mêmes vers très obscurs avaient une curieuse propriété : il y avait, en eux, je ne sais quelle nécessité qui les imposait à ma mémoire ; et je savais par une triste expérience, scolaire ou autre, que ma mémoire verbale était remarquablement faible. Jamais je n'avais pu apprendre une leçon *par cœur*. Eh bien, il arrivait que ces vers de Mallarmé revenaient sans effort à mon esprit : je les savais et je les sais encore, après les avoir lus une ou deux fois. Davantage : en me répétant involontaire-Hent ces vers si difficiles à comprendre, je constatais que les énigmes s'atténuaient, la compréhension se dessinait. Le poète se justifiait... »

« Après les avoir lus une ou deux fois... » eût été le fait d'une mémoire inaudienne ; mais une affinité particulière valait mieux. Près de Léon-Paul Fargue et pour trois autres personnes, j'ai entendu Valéry, plus que septuagénaire, nous réciter, en entier, *l'Après-Midi d'un Faune* : « Cet ouvrage extraordinaire » où il avait, il le disait, trouvé plus de cinquante ans avant cette bouleversante récitation, « les plus beaux vers du monde ». C'est du même poème recueilli dans *Vers et Prose* que Claudel m'a écrit à quatre-vingt-un ans, en fin de lettre : « ... *L'Après-Midi d'un Faune* restera toujours l'œuvre essentielle de Mallarmé. Il n'avait pas tort d'y trouver un caractère dramatique qu'accusent ces deux premières versions — inestimables — retrouvées par vous. Me sera-t-il permis, moi que l'habitude de la Bible fait vivre dans la poursuite des symboles, d'y voir comme une figure du drame profond de Mallarmé et d'autres poètes avec lui ?

» *Mon crime, c'est d'avoir, gai de vaincre ces pleurs* (sic)
» *Frivoles* (sic), *divisé la touffe échevelée*
» *De baisers que les dieux gardaient si bien mêlée !* [1]

» Tout est là ! non, il ne fallait pas diviser. Il fallait garder actif le ferment intérieur, le principe de contradiction vivifiant !... »

Claudel reconnaissait, dès 1895, à Mallarmé, l'honneur de revendiquer le haut droit des Lettres. Il l'y voyait exercer la magistrature de l'intelligence et ajoutait : « il est probable pour moi que le premier élément de votre phrase en est la syntaxe ou le dessin qui des mots divers qu'elle rapproche ou distancie, de manière à les dépouiller d'une part inutile de leur sens ou à les rehausser d'un éclat étranger, constitue ce que vous appelez excellemment un terme. Là me semble l'origine du proverbe de votre obscurité, qui est, non le vague, mais la précision extrême et l'élégance d'un esprit habitué à de hauts jeux. »

Rien n'ayant paru plus noble que l'attitude, le regard, l'accueil, le sourire de Mallarmé, selon Valéry, celui-ci,

[1] Dans le texte de Vers et Prose : ces peurs traîtresses.

à le fréquenter, sentit l'essentiel : « Que tout en lui s'ordonnait à quelque fin secrète et si haute qu'elle transformait, évaluait, abolissait ou transfigurait les choses comme une certitude ou une lumière de l'ordre mystique. Je ne crois pas que rien de pareil ait été jamais observé dans les Lettres... »

Cette fin secrète et très haute à laquelle tout, en effet, en Mallarmé, s'ordonnait, si l'occasion de la saisir, en un seul de ses livres, peut exister, ne serait-ce pas dans *Vers et Prose* dont il a écrit, avec simplicité, qu'il peut suffire au public ?

Un seul risque, mais déjà désigné par le plus lucide : « Tout leur semblait naïf et lâche, après qu'ils l'avaient lu. »

HENRY MONDOR.

AVANT-DIRE

Afin d'obvier à des déprédations et souhaitant se mettre en rapport aisé avec le lettré amateur de publications courantes, M. Mallarmé a imaginé de donner lui-même ce Florilège ou très modeste anthologie de ses écrits ; à quoi la librairie Perrin voulut apporter des soins.

Ce petit recueil peut suffire au Public, comme inciter chez lui la curiosité d'ouvrages luxueux complets.

Une lithographie de Whistler, portrait inédit, sert de frontispice.

VERS

APPARITION

La lune s'attristait. Des séraphins en pleurs
Rêvant, l'archet aux doigts, dans le calme des fleurs
Vaporeuses, tiraient de mourantes violes
De blancs sanglots glissant sur l'azur des corolles

APPARITION

— C'était le jour béni de ton premier baiser.
Ma songerie aimant à me martyriser
S'enivrait savamment du parfum de tristesse
Que même sans regret et sans déboire laisse
La cueillaison d'un Rêve au cœur qui l'a cueilli
J'errais donc, l'œil rivé sur le pavé vieilli
Quand avec du soleil aux cheveux, dans la rue
Et dans le soir, tu m'es en riant apparue
Et j'ai cru voir la fée au chapeau de clarté
Qui jadis sur mes beaux sommeils d'enfant gâté
Passait, laissant toujours de ses mains mal fermées
Neiger de blancs bouquets d'étoiles parfumées.

LES FENÊTRES

Las du triste hôpital, et de l'encens fétide
Qui monte en la blancheur banale des rideaux
Vers le grand crucifix ennuyé du mur vide,
Le moribond sournois y redresse un vieux dos,

Se traîne et va, moins pour chauffer sa pourriture
Que pour voir du soleil sur les pierres, coller
Les poils blancs et les os de la maigre figure
Aux fenêtres qu'un beau rayon clair veut hâler.

Et la bouche, fiévreuse et d'azur bleu vorace,
Telle, jeune, elle alla respirer son trésor,
Une peau virginale et de jadis ! encrasse
D'un long baiser amer les tièdes carreaux d'or.

Ivre, il vit, oubliant l'horreur des saintes huiles,
Les tisanes, l'horloge et le lit infligé,
La toux ; et quand le soir saigne parmi les tuiles,
Son œil, à l'horizon de lumière gorgé,

Voit des galères d'or, belles comme des cygnes,
Sur un fleuve de pourpre et de parfums dormir
En berçant l'éclair fauve et riche de leurs lignes
Dans un grand nonchaloir chargé de souvenir !

Ainsi, pris du dégoût de l'homme à l'âme dure
Vautré dans le bonheur, où ses seuls appétits
Mangent, et qui s'entête à chercher cette ordure
Pour l'offrir à la femme allaitant ses petits,

LES FENÊTRES

Je fuis et je m'accroche à toutes les croisées
D'où l'on tourne l'épaule à la vie, et, béni,
Dans leur verre, lavé d'éternelles rosées,
Que dore le matin chaste de l'Infini

Je me mire et me vois ange ! et je meurs, et j'aime
— Que la vitre soit l'art, soit la mysticité —
A renaître, portant mon rêve en diadème,
Au ciel antérieur où fleurit la Beauté !

Mais, hélas ! Ici-bas est maître : sa hantise
Vient m'écœurer parfois jusqu'en cet abri sûr,
Et le vomissement impur de la Bêtise
Me force à me boucher le nez devant l'azur.

Est-il moyen, ô Moi qui connais l'amertume,
D'enfoncer le cristal par le monstre insulté
Et de m'enfuir, avec mes deux ailes sans plume
— Au risque de tomber pendant l'éternité ?

SOUPIR

Mon âme vers ton front où rêve, ô calme sœur,
Un automne jonché de taches de rousseur
Et vers le ciel errant de ton œil angélique
Monte, comme dans un jardin mélancolique,

SOUPIR

Fidèle, un blanc jet d'eau soupire vers l'Azur !
— Vers l'Azur attendri d'Octobre pâle et pur
Qui mire aux grands bassins sa langueur infinie
Et laisse, sur l'eau morte où la fauve agonie
Des feuilles erre au vent et creuse un froid sillon,
Se traîner le soleil jaune d'un long rayon.

LES FLEURS

Des avalanches d'or du vieil azur, au jour
Premier et de la neige éternelle des astres
Jadis tu détachas les grands calices pour
La terre jeune encore et vierge de désastres,

LES FLEURS

Le glaïeul fauve, avec les cygnes au col fin,
Et ce divin laurier des âmes exilées
Vermeil comme le pur orteil du séraphin
Que rougit la pudeur des aurores foulées,

L'hyacinthe, le myrte à l'adorable éclair
Et, pareille à la chair de la femme, la rose
Cruelle, Hériodade en fleur du jardin clair,
Celle qu'un sang farouche et radieux arrose !

Et tu fis la blancheur sanglotante des lys
Qui roulant sur des mers de soupirs qu'elle effleure
A travers l'encens bleu des horizons pâlis
Monte rêveusement vers la lune qui pleure !

Hosannah sur le cistre et dans les encensoirs,
Notre dame, hosannah du jardin de nos limbes !
Et finisse l'écho par les célestes soirs,
Extase des regards, scintillement des nimbes !

O Mère, qui créas en ton sein juste et fort,
Calices balançant la future fiole,
De grandes fleurs avec la balsamique Mort
Pour le poète las que la vie étiole.

BRISE MARINE

La chair est triste, hélas ! et j'ai lu tous les livres.
Fuir ! là-bas fuir ! Je sens que des oiseaux sont ivres
D'être parmi l'écume inconnue et les cieux !
Rien, ni les vieux jardins reflétés par les yeux

BRISE MARINE

Ne retiendra ce cœur qui dans la mer se trempe
O nuits ! ni la clarté déserte de ma lampe
Sur le vide papier que la blancheur défend
Et ni la jeune femme allaitant son enfant.
Je partirai ! Steamer balançant ta mâture,
Lève l'ancre pour une exotique nature !
Un Ennui, désolé par les cruels espoirs,
Croit encore à l'adieu suprême des mouchoirs !
Et, peut-être, les mâts, invitant les orages
Sont-ils de ceux qu'un vent penche sur les naufrages
Perdus, sans mâts, sans mâts ni fertiles îlots...
Mais, ô mon cœur, entends le chant des matelots !

L'AZUR

De l'éternel Azur la sereine ironie
Accable, belle indolemment comme les fleurs
Le poète impuissant qui maudit son génie
A travers un désert stérile de Douleurs.

Fuyant, les yeux fermés, je le sens qui regarde
Avec l'intensité d'un remords atterrant
Mon âme vide. Où fuir? et quelle nuit hagarde
Jeter, lambeaux, jeter sur ce mépris navrant?

Brouillards, montez! versez vos cendres monotones
Avec de longs haillons de brume dans les cieux
Que noiera le marais livide des automnes
Et bâtissez un grand plafond silencieux!

Et toi, sors des étangs léthéens et ramasse
En t'en venant la vase et les pâles roseaux,
Cher Ennui, pour boucher d'une main jamais lasse
Les grands trous bleus que font méchamment les oi-
[seaux

Encor! que sans répit les tristes cheminées
Fument, et que de suie une errante prison
Éteigne dans l'horreur de ses noires traînées
Le soleil se mourant jaunâtre à l'horizon!

— Le Ciel est mort. — Vers toi, j'accours! donne,
[ô matière,
L'oubli de l'Idéal cruel et du Péché
A ce martyr qui vient partager la litière
Où le bétail heureux des hommes est couché.

Car j'y veux, puisque enfin ma cervelle, vidée
Comme le pot de fard gisant au pied d'un mur.
N'a plus l'art d'attifer la sanglotante idée,
Lugubrement bâiller vers un trépas obscur...

En vain! l'Azur triomphe, et je l'entends qui chante
Dans les cloches. Mon âme, il se fait voix pour plus
Nous faire peur avec sa victoire méchante,
Et du métal vivant sort en bleus angélus!

Il roule par la brume, ancien et traverse
Ta native agonie ainsi qu'un glaive sûr ;
Où fuir dans la révolte inutile et perverse?
Je suis hanté. L'azur! l'Azur! l'Azur! l'Azur!

DON DU POÈME

Je t'apporte l'enfant d'une nuit d'Idumée!
Noire, à l'aile saignante et pâle, déplumée,
Par le verre brûlé d'aromates et d'or,
Par les carreaux glacés, hélas! mornes encor

DON DU POÈME

L'aurore se jeta sur la lampe angélique,
Palmes! et quand elle a montré cette relique
A ce père essayant un sourire ennemi,
La solitude bleue et stérile a frémi.
O la berceuse avec ta fille et l'innocence
De vos pieds froids, accueille une horrible naissance
Et, ta voix rappelant viole et clavecin,
Avec le doigt fané presseras-tu le sein
Par qui coule en blancheur sibylline la femme
Pour des lèvres que l'air du vierge azur affame?

SONNETS

LE PITRE CHATIÉ

Yeux, lacs avec ma simple ivresse de renaître
Autre que l'histrion qui du geste évoquais
Comme plume la suie ignoble des quinquets,
J'ai troué dans le mur de toile une fenêtre.

LE PITRE CHATIÉ

De ma jambe et des bras limpide nageur traître,
A bonds multipliés, reniant le mauvais
Hamlet! c'est comme si dans l'onde j'innovais
Mille sépulcres pour y vierge disparaître.

Hilare or de cymbale à des poings irrité,
Tout à coup le soleil frappe la nudité
Qui pure s'exhala de ma fraîcheur de nacre,

Rance nuit de la peau quand sur moi vous passiez.
Ne sachant pas, ingrat! que c'était tout mon sacre,
Ce fard noyé dans l'eau perfide des glaciers.

TRISTESSE D'ÉTÉ

Le soleil, sur le sable, ô lutteuse endormie,
En l'or de tes cheveux chauffe un bain langoureux
Et, consumant l'encens sur ta joue ennemie,
Il mêle avec les pleurs un breuvage amoureux.

TRISTESSE D'ÉTÉ

De ce blanc Flamboiement l'immuable accalmie
T'a fait dire, attristée, ô mes baisers peureux,
« Nous ne serons jamais une seule momie
Sous l'antique désert et les palmiers heureux! »

Mais ta chevelure est une rivière tiède,
Où noyer sans frissons l'âme qui nous obsède
Et trouver ce Néant que tu ne connais pas.

Je goûterai le fard pleuré par tes paupières,
Pour voir s'il sait donner au cœur que tu frappas
L'insensibilité de l'azur et des pierres.

Le vierge, le vivace et le bel aujourd'hui
Va-t-il nous déchirer avec un coup d'aile ivre
Ce lac dur oublié que hante sous le givre
Le transparent glacier des vols qui n'ont pas fui!

LA VIERGE, LE VIVACE ET LE BEL AUJOURD'HUI

Un cygne d'autrefois se souvient que c'est lui
Magnifique mais qui sans espoir se délivre
Pour n'avoir pas chanté la région où vivre
Quand du stérile hiver a resplendi l'ennui.

Tout son col secouera cette blanche agonie
Par l'espace infligée à l'oiseau qui le nie,
Mais non l'horreur du sol où le plumage est pris

Fantôme qu'à ce lieu son pur éclat assigne,
Il s'immobilise au songe froid de mépris
Que vêt parmi l'exil inutile le Cygne.

Victorieusement fui le suicide beau
Tison de gloire, sang par écume, or, tempête!
O rire si là-bas une pourpre s'apprête
A ne tendre royal que mon absent tombeau.

VICTORIEUSEMENT FUI LE SUICIDE BEAU

Quoi! de tout cet éclat pas même le lambeau
S'attarde, il est minuit, à l'ombre qui nous fête
Excepté qu'un trésor présomptueux de tête
Verse son caressé nonchaloir sans flambeau,

La tienne si toujours le délice! la tienne
Oui seule qui du ciel évanoui retienne
Un peu de puéril triomphe en t'en coiffant

Avec clarté quand sur les coussins tu la poses
Comme un casque guerrier d'impératrice enfant
Dont pour te figurer il tomberait des roses.

Ses purs ongles très haut dédiant leur onyx,
L'Angoisse, ce minuit, soutient, lampadophore,
Maint rêve vespéral brûlé par le Phénix
Que ne recueille pas de cinéraire amphore

SES PURS ONGLES TRÈS HAUT...

Sur les crédences, au salon vide : nul ptyx,
Aboli bibelot d'inanité sonore
(Car le Maître est allé puiser des pleurs au Styx
Avec ce seul objet dont le Néant s'honore.)

Mais proche la croisée au nord vacante, un or
Agonise selon peut-être le décor
Des licornes ruant du feu contre une nixe,

Elle, défunte nue en le miroir, encor
Que, dans l'oubli fermé par le cadre, se fixe
De scintillations sitôt le septuor.

Mes bouquins refermés sur le nom de Paphos,
Il m'amuse d'élire avec le seul génie
Une ruine, par mille écumes bénie
Sous l'hyacinthe, au loin, de ses jours triomphaux.

MES BOUQUINS REFERMÉS

Coure le froid avec ses silences de faulx,
Je n'y hululerai pas de vide nénie
Si ce très blanc ébat au ras du sol dénie
A tout site l'honneur du paysage faux

Ma faim qui d'aucuns fruits ici ne se régale
Trouve en leur docte manque une saveur égale :
Qu'un éclate de chair humain et parfumant!

Le pied sur quelque guivre où notre amour tisonne,
Je pense plus longtemps peut-être éperdument
A l'autre, au sein brûlé d'une antique amazone

M'introduire dans ton histoire
C'est en héros effarouché
S'il a du talon nu touché
Quelque gazon de territoire

M'INTRODUIRE DANS TON HISTOIRE

A des glaciers attentatoire
Je ne sais le naïf péché
Que tu n'auras pas empêché
De rire très haut sa victoire

Dis si je ne suis pas joyeux
Tonnerre et rubis aux moyeux
De voir en l'air que ce feu troue

Avec des royaumes épars
Comme mourir pourpre la roue
Du seul vespéral de mes chars.

Quelle soie aux baumes de temps
Où la Chimère s'exténue
Vaut la torse et native nue
Que, hors de ton miroir, tu tends!

QUELLE SOIE AUX BAUMES DE TEMPS

Les trous de drapeaux méditants
S'exaltent dans notre avenue :
Moi, j'ai ta chevelure nue
Pour enfouir mes yeux contents.

Non! la bouche ne sera sûre
De rien goûter à sa morsure
S'il ne fait, ton princier amant

Dans la considérable touffe
Expirer, comme un diamant,
Le cri des Gloires qu'il étouffe.

Tout Orgueil fume-t-il du soir,
Torche dans un branle étouffée
Sans que l'immortelle bouffée
Ne puisse à l'abandon surseoir!

TOUT ORGUEIL FUME-T-IL DU SOIR

La chambre ancienne de l'hoir
De maint riche maint chu trophée
Ne serait pas même chauffée
S'il survenait par le couloir.

Affres du passé nécessaires
Agrippant comme avec des serres
Le sépulcre de désaveu,

Sous un marbre lourd qu'elle isole
Ne s'allume pas d'autre feu
Que la fulgurante console.

Surgi de la croupe et du bond
D'une verrerie éphémère
Sans fleurir la veillée amère
Le col ignoré s'interrompt.

Je crois bien que deux bouches n'ont
Bu, ni son amant ni ma mère,
Jamais à la même Chimère,
Moi, sylphe de ce froid plafond!

Le pur vase d'aucun breuvage
Que l'inexhaustible veuvage
Agonise mais ne consent,

Naïf baiser des plus funèbres!
A rien expirer annonçant
Une rose dans les ténèbres.

Une dentelle s'abolit
Dans le doute du Jeu suprême
A n'entr'ouvrir comme un blasphème
Qu'absence éternelle de lit.

UNE DENTELLE S'ABOLIT

Cet unanime blanc conflit
D'une guirlande avec la même,
Enfui contre la vitre blême
Flotte plus qu'il n'ensevelit.

Mais chez qui du rêve se dore
Tristement dort une mandore
Au creux néant musicien

Telle que vers quelque fenêtre
Selon nul ventre que le sien,
Filial on aurait pu naître.

PROSE

(pour des Esseintes)

Hyperbole! de ma mémoire
Triomphalement ne sais-tu
Te lever, aujourd'hui grimoire
Dans un livre de fer vêtu :

Car j'installe, par la science,
L'hymne des cœurs spirituels
En l'œuvre de ma patience.
Atlas, herbiers et rituels.

Nous promenions notre visage
(Nous fûmes deux, je le maintiens)
Sur maints charmes de paysage,
O sœur, y comparant les tiens.

L'ère d'autorité se trouble
Lorsque, sans nul motif, on dit
De ce midi que notre double
Inconscience approfondit

Que, sol des cent iris, son site,
Ils savent s'il a bien été,
Ne porte pas de nom que cite
L'or de la trompette d'Été.

Oui, dans une île que l'air charge
De vue et non de visions
Toute fleur s'étalait plus large
Sans que nous en devisions

POUR DES ESSEINTES

Telles, immenses, que chacune
Ordinairement se para
D'un lucide contour, lacune
Qui des jardins la sépara.
Gloire du long désir, Idées
Tout en moi s'exaltait de voir
La famille des iridées
Surgir à ce nouveau devoir,

Mais cette sœur sensée et tendre
Ne porta son regard plus loin
Que sourire et, comme à l'entendre
J'occupe mon antique soin.

Oh! sache l'Esprit de litige,
A cette heure où nous nous taisons,
Que de lis multiples la tige
Grandissait trop pour nos raisons

Et non comme pleure la rive,
Quand son jeu monotone ment
A vouloir que l'ampleur arrive
Parmi mon jeune étonnement

D'ouïr tout le ciel et la carte
Sans fin attestés sur mes pas,
Par le flot même qui s'écarte,
Que ce pays n'existe pas.

L'enfant abdique son extase
Et docte déjà par chemins
Elle dit le mot : Anastase!
Né pour d'éternels parchemins,

Avant qu'un sépulcre ne rie
Sous aucun climat, son aïeul,
De porter ce nom : Pulchérie!
Caché par le trop grand glaïeul.

HÉRODIADE

Fragment

O miroir

Eau froide par l'ennui dans ton cadre gelée
Que de fois et pendant les heures, désolée
Des songes et cherchant mes souvenirs qui sont
Comme des feuilles sous ta glace au trou profond,
Je m'apparus en toi comme une ombre lointaine
Mais, horreur! des soirs, dans ta sévère fontaine,
J'ai de mon rêve épars connu la nudité!

HÉRODIADE

Oui, c'est pour moi, pour moi, que je fleuris, déserte!
Vous le savez, jardins d'améthyste, enfouis
Sans fin dans de savants abîmes éblouis,
Ors ignorés, gardant votre antique lumière

Sous le sombre sommeil d'une terre première,
Vous pierres où mes yeux comme de purs bijoux
Empruntent leur clarté mélodieuse, et vous
Métaux qui donnez a ma jeune chevelure
Une splendeur fatale et sa massive allure!
Quant à toi, femme née en des siècles malins
Pour la méchanceté des antres sibyllins,

Qui parles d'un mortel! selon qui, des calices
De mes robes, arôme aux farouches délices
Sortirait le frisson blanc de ma nudité,
Prophétise que si le tiède azur d'été,
Vers lui nativement la femme se dévoile,
Me voit dans ma pudeur grelottante d'étoile,
Je meurs!

J'aime l'horreur d'être vierge et je veux
Vivre parmi l'effroi que me font mes cheveux
Pour, le soir, retirée en ma couche, reptile
Inviolé sentir en la chair inutile
Le froid scintillement de ta pâle clarté
Toi qui te meurs, toi qui brûles de chasteté,
Nuit blanche de glaçons et de neige cruelle!

HÉRODIADE

Et ta sœur solitaire, ô ma sœur éternelle,
Mon rêve montera vers toi : telle déjà
Rare limpidité d'un cœur qui le songea,
Je me crois seule en ma monotone patrie
Et tout, autour de moi, vit dans l'idolâtrie
D'un miroir qui reflète en son calme dormant
Hérodiade au clair regard de diamant..
O charme dernier, oui! je le sens, je suis seule.

LA NOURRICE

Madame, allez-vous donc mourir

HÉRODIADE

Non, pauvre aïeule

Sois calme et, t'éloignant, pardonne à ce cœur dur,
Mais avant, si tu veux, clos les volets, l'azur
Séraphique sourit dans les vitres profondes
Et je déteste, moi, le bel azur!

Des ondes

HÉRODIADE

Se bercent et, là-bas, sais-tu pas un pays
Où le sinistre ciel ait les regards haïs
De Vénus qui, le soir, brûle dans le feuillage ;
J'y partirais.

Allume encore, enfantillage
Dis-tu, ces flambeaux où la cire au feu léger
Pleure parmi l'or vain quelque pleur étranger
Et..

LA NOURRICE

Maintenant ?

HÉRODIADE

Adieu.

Vous mentez, ô fleur nue
De mes lèvres !

J'attends une chose inconnue

Ou peut-être, ignorant le mystère et vos cris.
Jetez-vous les sanglots suprêmes et meurtris
D'une enfance sentant parmi les rêveries
Se séparer enfin ses froides pierreries.

L'APRÈS-MIDI

d'un

FAVNE

Églogue

LE FAUNE

Ces nymphes, je les veux perpétuer.

Si clair,

Leur incarnat léger, qu'il voltige dans l'air
Assoupi des sommeils touffus.

Aimai-je un rêve?

Mon doute, amas de nuit ancienne, s'achève
En maint rameau subtil, qui, demeuré les vrais
Bois mêmes, prouve, hélas! que bien seul je m'offrais
Pour triomphe la faute idéale de roses.

Réfléchissons

ou si les femmes dont tu gloses

Figurent un souhait de tes sens fabuleux!
Faune, l'illusion s'échappe des yeux bleus
Et froids, comme une source en pleurs, de la plus
[chaste :
Mais, l'autre tout soupirs, dis-tu qu'elle contraste
Comme brise du jour chaude dans ta toison!
Que non! par l'immobile et lasse pâmoison
Suffoquant de chaleurs le matin frais s'il lutte.
Ne murmure point d'eau que ne verse ma flûte
Au bosquet arrosé d'accords ; et le seul vent
Hors des deux tuyaux prompt à s'exhaler avant
Qu'il disperse le son dans une pluie aride,
C'est à l'horizon pas remué d'une ride,

D'UN FAUNE

Le visible et serein souffle artificiel
De l'inspiration, qui regagne le ciel.

O bords siciliens d'un calme marécage
Qu'à l'envi des soleils ma vanité saccage,
Tacite sous les fleurs d'étincelles, CONTEZ
« *Que je coupais ici les creux roseaux domptés*
« *Par le talent*; *quand, sur l'or glauque de lointaines*
« *Verdures dédiant leur vigne à des fontaines,*
« *Ondoie une blancheur animale au repos* :
« *Et qu'au prélude lent où naissent les pipeaux,*
« *Ce vol de cygnes, non*! *de naïades se sauve*
« *Ou plonge..* »

Inerte, tout brûle dans l'heure fauve
Sans marquer par quel art ensemble détala
Trop d'hymen souhaité de qui cherche le *la* :
Alors m'éveillerai-je à la ferveur première,
Droit et seul, sous un flot antique de lumière,
Lys! et l'un de vous tous pour l'ingénuité.

Autre que ce doux rien par leur lèvre ébruité,
Le baiser, qui tout bas des perfides assure,
Mon sein, vierge de preuve, atteste une morsure
Mystérieuse, due à quelque auguste dent ;
Mais, bast! arcane tel élut pour confident
Le jonc vaste et jumeau dont sous l'azur on joue :
Qui, détournant à soi le trouble de la joue
Rêve, dans un solo long, que nous amusions
La beauté d'alentour par des confusions
Fausses entre elle-même et notre chant crédule ;
Et de faire aussi haut que l'amour se module
Évanouir du songe ordinaire de dos
Ou de flanc pur suivis avec mes regards clos,
Une sonore, vaine et monotone ligne.

Tâche donc, instrument des fuites, ô maligne
Syrinx, de refleurir aux lacs où tu m'attends !
Moi, de ma rumeur fier, je vais parler longtemps
Des déesses ; et par d'idolâtres peintures,
A leur ombre enlever encore des ceintures :
Ainsi, quand des raisins j'ai sucé la clarté,
Pour bannir un regret par ma feinte écarté,

Rieur, j'élève au ciel d'été la grappe vide
Et, soufflant dans ses peaux lumineuses, avide
D'ivresse, jusqu'au soir je regarde au travers.

O nymphes, regonflons des SOUVENIRS divers.
» *Mon œil, trouant les joncs, dardait chaque encolure*
» *Immortelle, qui noie en l'onde sa brûlure*
» *Avec un cri de rage au ciel de la forêt ;*
» *Et le splendide bain de cheveux disparaît*
» *Dans les clartés et les frissons, ô pierreries!*
» *J'accours ; quand, à mes pieds, s'entrejoignent (meurtries*
» *De la langueur goûtée à ce mal d'être deux)*
» *Des dormeuses parmi leurs bras hasardeux ;*
» *Je les ravis, sans les désenlacer, et vole*
» *A ce massif, haï par l'ombrage frivole,*
» *De roses tarissant tout parfum au soleil,*
» *Où notre ébat au jour consumé soit pareil.*
Je t'adore, courroux des vierges, ô délice
Farouche du sacré fardeau nu qui se glisse
Pour fuir ma lèvre en feu buvant, comme un éclair
Tressaille! la frayeur secrète de la chair :

Des pieds de l'inhumaine au cœur de la timide
Que délaisse à la fois une innocence, humide
De larmes folles ou de moins tristes vapeurs
» *Mon crime, c'est d'avoir, gai de vaincre ces peurs*
» *Traîtresses, divisé la touffe échevelée*
» *De baisers que les dieux gardaient si bien mêlée ;*
» *Car, à peine j'allais cacher un rire ardent*
» *Sous les replis heureux d'une seule (gardant*
» *Par un doigt simple, afin que sa candeur de plume*
» *Se teignît à l'émoi de sa sœur qui s'allume,*
» *La petite naïve et ne rougissant pas :)*
» *Que de mes bras, défaits par de vagues trépas,*
» *Cette proie, à jamais ingrate se délivre*
» *Sans pitié du sanglot dont j'étais encor ivre.* »

Tant pis! vers le bonheur d'autres m'entraîneront
Par leur tresse nouée aux cornes de mon front :
Tu sais, ma passion, que, pourpre et déjà mûre ;
Chaque grenade éclate et d'abeilles murmure ;
Et notre sang, épris de qui le va saisir,
Coule pour tout l'essaim éternel du désir.
A l'heure où ce bois d'or et de cendres se teinte
Une fête s'exalte en la feuillée éteinte.

Etna! c'est parmi toi visité de Vénus
Sur ta lave posant ses talons ingénus,
Quand tonne un somme triste ou s'épuise la flamme.
Je tiens la reine!

O sûr châtiment...

Non, mais l'âme

De paroles vacante et ce corps alourdi
Tard succombent au fier silence de midi :
Sans plus il faut dormir en l'oubli du blasphème.
Sur le sable altéré gisant et comme j'aime
Ouvrir ma bouche à l'astre efficace des vins!

Couple, adieu ; je vais voir l'ombre que tu devins.

II

PROSE

POÈMES DE POE

LE TOMBEAU D'EDGAR POE

Tel qu'en Lui-même enfin l'éternité le change,
Le Poète suscite avec un glaive nu
Son siècle épouvanté de n'avoir pas connu
Que la mort triomphait dans cette voix étrange!

Eux, comme un vil sursaut d'hydre oyant jadis l'ange
Donner un sens plus pur aux mots de la tribu
Proclamèrent très haut le sortilège bu
Dans le flot sans honneur de quelque noir mélange.

Du sol et de la nue hostiles, ô grief!
Si notre idée avec ne sculpte un bas-relief
Dont la tombe de Poe éblouissante s'orne

Calme bloc ici-bas chu d'un désastre obscur
Que ce granit du moins montre à jamais sa borne
Aux noirs vols du Blasphème épars dans le futur.

LE CORBEAU

Une fois, par un minuit lugubre, tandis que je m'appesantissais, faible et fatigué, sur maint curieux et bizarre volume de savoir oublié — tandis que je dodelinais la tête somnolant presque, soudain se fit un heurt, comme de quelqu'un frappant doucement, frappant à la porte de ma chambre, — cela seul et rien de plus.

Ah! distinctement je me souviens que c'était en le glacial Décembre : et chaque tison, mourant isolé, ouvrageait son spectre sur le sol. Ardemment je souhaitais le jour ; — vainement j'avais cherché d'emprunter à mes livres un sursis au chagrin de la Lénore perdue — de la rare et rayonnante jeune fille que les anges nomment Lénore, — de nom! pour elle ici, non, jamais plus!

Et de la soie l'incertain et triste bruissement en chaque rideau purpural me traversait — m'emplissait de fantastiques terreurs pas senties encore : si bien que, pour calmer le battement de mon cœur, je demeurais maintenant à répéter : « C'est quelque visiteur qui sollicite l'entrée, à la porte de ma chambre — quelque visiteur qui sollicite l'entrée à la porte de ma chambre, c'est cela et rien de plus. »

Mon âme se fit subitement plus forte et, n'hésitant davantage : « Monsieur, dis-je, ou madame, j'implore véritablement votre pardon ; mais le fait est que je somnolais, et vous vîntes si doucement frapper, et si faiblement vous vîntes heurter à la porte de ma chambre, que j'étais à peine sûr de vous avoir entendu. » Ici j'ouvris grande la porte : les ténèbres et rien de plus.

Loin dans l'ombre regardant, je me tins longtemps à douter, m'étonner et craindre, à rêver des rêves qu'aucun mortel n'avait osé rêver encore ; mais le silence ne se rompit point et la quiétude ne donna de signe ; et le seul mot qui se dit, fut le mot chuchoté « Lénore! » Je le chuchotai — et un écho murmura de retour le mot « Lénore! » purement cela et rien de plus.

Rentrant dans la chambre, toute l'âme en feu, j'entendis bientôt un heurt en quelque sorte plus fort qu'auparavant. « Sûrement, dis-je, sûrement c'est quelque chose à la persienne de ma fenêtre. Voyons donc ce qu'il y a et explorons ce mystère — que mon cœur se calme un moment et explore ce mystère : c'est le vent et rien de plus. »

Au large je poussai le volet, quand, avec maints enjouement et agitation d'ailes, entra un majestueux corbeau des saints jours de jadis. Il ne fit pas la moindre révérence, il ne s'arrêta ni n'hésita un instant ; mais, avec une mine de lord ou de lady, se percha au-dessus de la porte de ma chambre — se percha sur un buste de Pallas, juste au-dessus de la porte de ma chambre — se percha, siégea et rien de plus.

Alors cet oiseau d'ébène induisant ma triste imagination au sourire, par le grave et sévère décorum de la contenance qu'il eut : « Quoique ta crête soit chue et rase, non! dis-je, tu n'es pas, pour sûr, un poltron, spectral, lugubre et ancien Corbeau, errant loin du rivage de Nuit — dis-moi quel est ton nom seigneurial au rivage plutonien de Nuit. » Le Corbeau dit : « Jamais plus. »

Je m'émerveillai fort d'entendre ce disgracieux volatile s'énoncer aussi clairement, quoique sa réponse n'eût que peu de sens et peu d'à-propos : car on ne peut s'empêcher de convenir que nul homme vivant n'eut encore l'heur de voir un oiseau au-dessus de la porte de sa chambre — un oiseau ou toute autre bête sur le buste sculpté au-dessus de la porte de sa chambre — avec un nom tel que : « Jamais plus. »

Mais le Corbeau perché solitairement sur ce buste placide, parla ce seul mot comme si mon âme, en ce seul mot, il la répandait. Je ne proférai donc rien de plus ; il n'agita donc pas de plume, — jusqu'à ce que je fis à peine davantage que marmotter : « D'autres amis déjà ont pris leur vol, — demain il me laissera comme mes espérances déjà ont pris leur vol. » Alors l'oiseau dit : « Jamais plus. »

Tressaillant au calme rompu par une réplique si bien parlée : « Sans doute, dis-je, ce qu'il profère est tout son fonds et son bagage, pris à quelque malheureux maître que l'impitoyable Désastre suivit de près et de très près suivit jusqu'à ce que ses chansons comportassent un unique refrain ; jusqu'à ce que les chants funèbres de son Espérance comportassent le mélancolique refrain de : « Jamais — jamais plus. »

Le Corbeau induisant toute ma triste âme encore au sourire, je roulai soudain un siège à coussins en face de l'oiseau, et du buste, et de la porte ; et m'enfonçant dans le velours, je me pris à enchaîner songerie à songerie, pensant à ce que cet augural oiseau de jadis, — à ce que ce sombre, disgracieux, sinistre, maigre et augural oiseau de jadis signifiait en croassant : « Jamais plus. »

Cela, je m'assis occupé à le conjecturer, mais n'adressant pas une syllabe à l'oiseau dont les yeux de feu brûlaient, maintenant, au fond de mon sein ; cela et plus encore, je m'assis pour le deviner, ma tête reposant à l'aise sur la housse de velours des coussins que dévorait la lumière de la lampe, housse violette de velours qu'Elle ne ne pressera plus, ah! jamais plus.

L'air, me sembla-t-il, devint alors plus dense,

parfumé selon un encensoir invisible balancé par les Séraphins dont le pied, dans sa chute, tintait sur l'étoffe du parquet. « Misérable! m'écriai-je, ton Dieu t'a prêté — il t'a envoyé par ses anges le répit — le répit et le népenthés dans ta mémoire de Lénore! Bois! oh! bois ce bon népenthés et oublie cette Lénore perdue! » Le Corbeau dit : « Jamais plus. »

« Prophète, dis-je, être de malheur! prophète, oui, oiseau ou démon! Que si le Tentateur t'envoya ou la tempête t'échoua vers ces bords, désolé et encore tout indompté, vers cette déserte terre enchantée — vers ce logis par l'horreur hanté : dis-moi véritablement, je t'implore! y a-t-il du baume en Judée? Dis-moi, je t'implore. » Le Corbeau dit : « Jamais plus! »

« Prophète, dis-je, être de malheur, prophète, oui, oiseau ou démon! Par les cieux sur nous épars — et le Dieu que nous adorons tous deux — dis à cette âme de chagrin chargée si, dans le distant Eden, elle doit embrasser une jeune fille sanctifiée que les anges nomment Lénore, — embrasser une rare et rayonnante jeune fille que les anges nomment Lénore. » Le Corbeau dit : « Jamais plus ! »

« Que ce mot soit le signal de notre séparation, oiseau ou malin esprit, » hurlai-je en me dressant. « Recule en la tempête et le rivage plutonien de Nuit ! Ne laisse pas une plume noire ici comme un gage du mensonge qu'a proféré ton âme. Laisse inviolé mon abandon ! quitte le buste au-dessus de ma porte ! ôte ton bec de mon cœur et jette ta forme loin de ma porte ! » Le Corbeau dit : « Jamais plus ! »

Et le Corbeau, sans voleter, siège encore, — siège encore sur le buste pallide de Pallas, juste au-dessus de la porte de ma chambre, et ses yeux ont toute la semblance des yeux d'un démon qui rêve, et la lumière de la lampe, ruisselant sur lui, projette son ombre à terre : et mon âme, de cette ombre qui gît flottante à terre, ne s'élèvera — jamais plus.

ULALUME

Les cieux, ils étaient de cendres et graves, les feuilles, elles étaient crispées et mornes — les feuilles, elles étaient périssables et mornes. C'était nuit en le solitaire Octobre de ma plus immémoriale année. C'était fort près de l'obscur lac d'Auber, dans la brumeuse moyenne région de Weir — c'était là près de l'humide marais d'Auber, dans le bois hanté par les goules de Weir.

Ici, une fois, à travers une allée titanique de cyprès, j'errais avec mon âme ; une allée de cyprès avec Psyché, mon âme. C'était au jour où mon cœur était volcanique comme les rivières scoriaques qui roulent — comme les laves qui roulent instablement leurs sulfureux courants au bas de l'Yanek, dans les climats extrêmes du pôle boréal — qui gémissent tandis qu'elles roulent au bas du Mont Yanek dans les régions du pôle boréal.

Notre entretien avait été sérieux et grave ! mais, nos pensées, elles étaient paralysées et mornes, nos souvenirs étaient traîtres et mornes, — car nous ne savions pas que le mois était Octobre et nous ne remarquions pas la nuit de l'année (ah ! nuit de toutes les nuits de l'année) ; nous n'observions pas l'obscur lac d'Auber — bien qu'une fois nous ayons voyagé par là, —

nous ne nous rappelions pas l'humide marais d'Auber, ni le pays de bois hanté par les goules de Weir.

Et maintenant comme la nuit vieillissait et que le cadran des étoiles indiquait le matin — à la fin de notre sentier un liquide et nébuleux éclat vint à naître, hors duquel un miraculeux croissant se leva avec une double corne — le croissant diamenté d'Astarté distinct avec sa double corne.

Et je dis : « Elle est plus tiède que Diane ; elle roule à travers un éther de soupirs : elle jubile dans une région de soupirs, — elle a vu que les larmes ne sont pas sèches sur ces joues où le ver ne meurt jamais et elle est venue passé les étoiles du Lion pour nous désigner le sentier vers les cieux — vers la léthéenne paix des cieux ; — jusque-là venue en dépit du Lion, pour resplendir sur nous de ses yeux brillants — jusque-là venue à travers l'antre du Lion, avec l'amour dans ses yeux lumineux.

Mais Psyché, élevant son doigt, dit : « Tristement, de cette étoile je me défie — de sa pâleur, étrangement, je me défie. Oh ! hâte-toi ! Oh ! ne nous attardons pas ! Oh ! fuis — et fuyons, il le faut. » Elle parla dans la terreur, laissant s'abattre ses plumes jusqu'à ce que ses ailes traînassent en la poussière — jusqu'à ce qu'elles traînèrent tristement dans la poussière.

Je répliquai : « Ce n'est rien que songes ; continuons par cette vacillante lumière ; baignons-nous dans cette cristalline lumière ! Sa splendeur sibylline rayonne d'espoir et de beauté cette nuit : — vois, elle va, vibrante, au haut du ciel à travers la nuit ! Ah ! nous pouvons, saufs, nous fier à sa lueur et être sûrs qu'elle nous conduira bien, — nous pouvons, saufs, nous fier à une lueur qui ne sait que nous guider à bien, puisqu'elle va, vibrante, au haut des cieux à travers la nuit. »

Ainsi je pacifiai Psyché et la baisai, et tentai de la ravir à cet assombrissement, et vainquis ses scrupules et son assombrissement ; et nous allâmes à la fin de l'allée, où nous fûmes arrêtés par la porte d'une tombe ; par la porte, avec sa légende, d'une tombe, et je dis : « Qu'y a-t-il d'écrit, douce sœur, sur la porte, avec une légende, de cette tombe ? » Elle répliqua : « Ulalume ! Ulalume ! C'est le caveau de ta morte Ulalume ! »

Alors mon cœur devint de cendre et grave, comme les feuilles qui étaient crispées et mornes — comme les feuilles qui étaient périssables et mornes, et je m'écriai : « Ce fut sûrement en Octobre dans cette même nuit de l'année dernière, que je voyageai — je voyageai par ici — que j'apportai un fardeau redoutable jusqu'ici — dans cette nuit entre toutes les nuits de l'année, ah ! quel démon m'a tenté vers ces lieux. Je connais bien, maintenant, cet obscur lac d'Auber — cette brumeuse moyenne région de Weir : je connais bien, maintenant, cet obscur lac d'Auber — cette brumeuse moyenne région de Weir : je connais bien maintenant, cet humide marais d'Auber, et ces pays de bois hantés par les goules de Weir ! »

LA DORMEUSE

A minuit, au mois de Juin, je suis sous la lune mystique : une vapeur opiacée, obscure, humide s'exhale hors de son contour d'or et, doucement se distillant, goutte à goutte, sur le tranquille sommet de la montagne, glisse, avec assoupissement et musique, parmi l'universelle vallée. Le romarin salue la tombe, le lys flotte sur la vague, enveloppant de brume son sein, la ruine se tasse dans le repos : comparable au Léthé voyez ! le lac semble goûter un sommeil conscient et, pour le monde ne s'éveillerait. Toute Beauté dort : et repose, sa croisée ouverte au ciel, Irène avec ses Destinées !

Oh ! dame brillante, vraiment est-ce bien, cette fenêtre ouverte à la nuit ? Les airs folâtres se laissent choir du haut de l'arbre rieusement par la persienne ; les airs incorporels, troupe magique, voltigent au dedans et au dehors de la chambre, et agitent les rideaux du baldaquin si brusquement — si terriblement — au-dessus des closes paupières frangées où ton âme en le somme gît cachée, que, le long du plancher et en bas du mur, comme des fantômes s'élève et descend l'ombre. Oh ! dame aimée, n'as-tu pas peur ? Pourquoi ou à quoi rêves-tu maitenant ici ? Sûr, tu es venue de par les mers du loin, merveille pour les arbres de ces jardins. Étrange est ta pâleur ! étrange est ta toilette ! étrange par-dessus tout ta longueur de cheveux, et tout ce solennel silence !

La dame dort ! Oh ! puisse son sommeil, qui se prolonge, de même être profond. Le Ciel la tienne en sa garde sacrée. La salle changée en une plus sainte, ce lit en un plus mélancolique, je prie Dieu qu'elle gise à jamais sans que s'ouvre son œil, pendant qu'iront les fantômes aux plis obscurs.

Mon amour, elle dort ! oh ! puisse son sommeil, comme il est continu, de même être profond. Que doucement autour d'elle rampent les vers ! Loin dans la forêt, obscure et vieille, que s'ouvre pour elle quelque haut caveau — quelque caveau qui souvent a fermé les ailes noires de ses oscillants panneaux, triomphal, sur les tentures armoriées des funérailles de sa grande famille — quelque sépulcre, écarté, solitaire, contre le portail duquel elle a lancé, dans sa jeunesse, mainte pierre oisive — quelque tombe hors de la porte retentissante de laquelle elle ne fera plus sortir jamais d'écho, frissonnante de penser, pauvre enfant de péché ! que c'étaient les morts qui gémissaient à l'intérieur.

PLUSIEURS PAGES

LE PHÉNOMÈNE FUTUR

Un ciel pâle, sur le monde qui finit de décrépitude, va peut-être partir avec les nuages : les lambeaux de la pourpre usée des couchants déteignent dans une rivière dormant à l'horizon submergé de rayons et d'eau. Les arbres s'ennuient et, sous leur feuillage blanchi (de la poussière du temps plutôt que celle des chemins), monte la maison en toile du Montreur de choses Passées : maint réverbère attend le crépuscule et ravive les visages d'une malheureuse foule, vaincue par la maladie immortelle et le péché des siècles, d'hommes près de leurs chétives complices enceintes des fruits misérables avec lesquels périra la terre. Dans le silence inquiet de tous les yeux suppliant là-bas le soleil qui, sous l'eau, s'enfonce avec le désespoir d'un cri, voici le simple boniment : « Nulle enseigne ne vous régale du spectacle intérieur, car il n'est pas maintenant un peintre capable d'en donner une ombre triste. J'apporte, vivante (et préservée à travers les ans par la science souveraine) une Femme d'autrefois. Quelque folie, originelle et naïve, une extase d'or, je ne sais quoi ! par elle nommé sa chevelure, se ploie avec la grâce des étoffes autour d'un visage qu'éclaire la nudité sanglante de ses lèvres. A la place du vêtement vain, elle a un corps ; et les yeux, semblables aux pierres rares ! ne valent pas ce regard qui sort de sa chair heureuse : des seins levés comme s'ils étaient pleins d'un lait éternel, la pointe vers le ciel aux jambes lisses qui gardent le sel de la mer première. » Se rappelant leurs pauvres épouses, chauves, morbides et pleines d'horreur, les maris se pressent : elles aussi par curiosité, mélancoliques, veulent voir.

Quand tous auront contemplé la noble créature, vestige de quelque époque déjà maudite, les uns indifférents, car ils n'auront pas eu la force de contempler, mais d'autres navrés et la paupière humide de larmes résignées ; se regarderont ; tandis que les poètes de ces temps, sentant se rallumer leurs yeux éteints, s'achemineront vers leur lampe, le cerveau ivre un instant d'une gloire confuse, hantés du Rythme et dans l'oubli d'exister à une époque qui survit à la beauté.

PLAINTE D'AUTOMNE

Depuis que Maria m'a quitté pour aller dans une autre étoile — laquelle, Orion, Altaïr, et toi, verte Vénus ? — j'ai toujours chéri la solitude. Que de longues journées j'ai passées seul avec mon chat. Par *seul*, j'entends sans un être matériel et mon chat est un compagnon mystique, un esprit. Je puis donc dire que j'ai passé de longues journées seul avec mon chat et, seul, avec un des derniers auteurs de la décadence latine ; car depuis que la blanche créature n'est plus, étrangement et singulièrement j'ai aimé tout ce qui se résumait en ce mot : chute. Ainsi, dans l'année, ma saison favorite, ce sont les derniers jours alanguis de l'été, qui précèdent immédiatement l'automne, et dans la journée l'heure où je me promène est quand le soleil se repose avant de s'évanouir, avec des rayons de cuivre jaune sur les murs gris et de cuivre rouge sur les carreaux. De même la littérature à laquelle mon esprit demande une volupté sera la poésie agonisante des derniers moments de Rome, tant, cependant, qu'elle ne respire aucunement l'approche rajeunissante des Barbares et ne bégaie point le latin enfantin des premières proses chrétiennes.

Je lisais donc un de ces chers poèmes (dont les plaques de fard ont plus de charme sur moi que l'incarnat de la jeunesse) et plongeais une main dans la fourrure du pur animal, quand un orgue de Barbarie chanta languissamment et mélancoliquement sous ma fenêtre. Il jouait dans la grande allée des peupliers dont les feuilles me paraissent mornes même au printemps, depuis que Maria a passé là avec des cierges, une dernière fois. L'instrument des tristes, oui, vraiment : le piano scintille, le violon donne aux fibres déchirées la lumière, mais l'orgue de Barbarie, dans le crépuscule du souvenir, m'a fait désespérément rêver. Maintenant qu'il murmurait un air joyeusement vulgaire et qui mit la gaîté au cœur des faubourgs, un air suranné, banal : d'où vient que sa ritournelle m'allait à l'âme et me faisait pleurer comme une ballade romantique? Je la savourai lentement et je ne lancai pas un sou par la fenêtre de peur de me déranger et de m'apercevoir que l'instrument ne chantait pas seul.

FRISSON D'HIVER

Cette pendule de Saxe, qui retarde et sonne treize heures parmi ses fleurs et ses dieux, à qui a-t-elle été ? Pense qu'elle est venue de Saxe par les longues diligences autrefois.

(De singulières ombres pendent aux vitres usées.)

Et ta glace de Venise, profonde comme une froide fontaine, en un rivage de guivres dédorées, qui s'y est miré ? Ah ! je suis sûr que plus d'une femme a baigné dans cette eau le péché de sa beauté ; et peut-être verrais-je un fantôme nu si je regardais longtemps.

— Vilain, tu dis souvent de méchantes choses.

(Je vois des toiles d'araignées au haut des grandes croisées.)

Notre bahut encore est très vieux, contemple comme ce feu rougit son triste bois ; les rideaux amortis ont son âge, et la tapisserie des fauteuils dénués de fard, et les anciennes gravures des murs, et toutes nos vieilleries ? Est-ce qu'il ne te te semble pas, même, que les bengalis et l'oiseau bleu ont déteint avec le temps.

(Ne songe pas aux toiles d'araignées qui tremblent au haut des grandes croisées.)

Tu aimes tout cela et voilà pourquoi je puis vivre auprès de toi. N'as-tu pas désiré, ma sœur au regard de jadis, qu'en un de mes poèmes apparussent ces mots « la grâce des choses fanées »? Les objets neufs te déplaisent ; à toi aussi, ils font peur avec leur hardiesse criarde, et tu te sentirais le besoin de les user, ce qui est bien difficile à faire pour ceux qui ne goûtent pas l'action.

Viens, ferme ton vieil almanach allemand, que tu lis avec attention, bien qu'il ait paru il y a plus de cent ans et que les rois qu'il annonce soient tous morts, et, sur l'antique tapis couché, la tête appuyée parmi tes genoux charitables dans ta robe pâlie, ô calme enfant, je te parlerai pendant des heures ; il n'y a plus de champs et les rues sont vides, je te parlerai de nos meubles.. Tu es distraite?

(Ces toiles d'araignées grelottent au haut des grandes croisées.)

LA PIPE

Hier, j'ai trouvé ma pipe en rêvant une longue soirée de travail, de beau travail d'hiver. Jetées les cigarettes avec toutes les joies enfantines de l'été dans le passé qu'illuminent les feuilles bleues de soleil, les mousselines et reprise ma grave pipe par un homme sérieux qui veut fumer longtemps sans se déranger, afin de mieux travailler : mais je ne m'attendais pas à la surprise que me préparait cette délaissée, à peine eus-je tiré une première bouffée j'oubliai mes grands livres à faire, émerveillé, attendri, je respirai l'hiver dernier qui revenait. Je n'avais pas touché à la fidèle amie depuis ma rentrée en France, et tout Londres, Londres tel que je le vécus en entier à moi seul il y a un an, est apparu ; d'abord ces chers brouillards qui emmitouflent nos cervelles et ont, là-bas, une odeur à eux, quand ils pénètrent sous la croisée. Mon tabac sentait une chambre sombre aux meubles de cuir saupoudrés par la poussière du charbon sur lesquels se roulait le maigre chat noir ; les grands feux ! et la bonne aux bras rouges versant les charbons, et le bruit de ces charbons tombant du seau de tôle dans la corbeille de fer, le matin — alors que le facteur frappait le double coup solennel qui me faisait vivre ! J'ai revu par la fenêtre ces arbres malades du square désert — j'ai vu le large si souvent traversé, cet hiver-là, grelottant sur le pont du steamer mouillé de bruine et noirci de fumée — avec ma pauvre bien-aimée errante, en habits de voyageuse, une longue robe grise couleur de la poussière des routes, un manteau qui collait humide à ses épaules froides, un de ces chapeaux de paille sans plume et presque sans rubans, que les riches dames jettent en arrivant, tant ils sont déchiquetés par l'air de la mer et que les pauvres bien-aimées regarnissent pour bien des saisons encore. Autour de son cou s'enroulait le terrible mouchoir qu'on agite en se disant adieu pour toujours.

LA PÉNULTIÈME

Des paroles inconnues chantèrent-elles sur vos lèvres, lambeaux maudits d'une phrase absurde ?

Je sortis de mon appartement avec la sensation propre d'une aile glissant sur les cordes d'un instrument, traînante et légère, que remplaça une voix prononçant les mots sur un ton descendant : « La Pénultième est morte », de façon que

La Pénultième

finit le vers et

Est morte

se détacha

de la suspension fatidique plus inutilement en le vide de signification. Je fis des pas dans la rue et reconnus en le son *nul* la corde tendue de l'instrument de musique, qui était oublié et que le glorieux Souvenir certainement venait de visiter de son aile ou d'une palme et, le doigt sur l'artifice du mystère, je souris et implorai de vœux intellectuels une spéculation différente. La phrase revint, virtuelle, dégagée d'une chute antérieure de plume ou de rameau, dorénavant à travers la voix entendue, jusqu'à ce qu'enfin elle s'articula seule, vivant de sa personnalité. J'allais (ne me contentant plus d'une perception) la lisant en fin de vers, et, une fois, comme un essai, l'adaptant à mon parler ; bientôt la prononçant avec un silence après « Pénultième », dans lequel je trouvais une pénible jouissance : « La Pénultième — », puis la corde de l'instrument, si tendue en l'oubli sur le son *nul*, cassait sans doute et j'ajoutais en manière d'oraison : « Est morte.» Je ne discontinuai pas de tenter un retour à des pensées de prédilection, alléguant, pour me calmer, que, certes pénultième est le terme du lexique qui signifie l'avant-dernière syllabe des vocables, et son apparition, le reste mal abjuré d'un labeur de linguistique par lequel quotidiennement sanglote de s'interrompre ma noble faculté poétique : la sonorité même et l'air de mensonge assumé par la hâte de la facile affirmation étaient une cause de tourment. Harcelé, je résolus de laisser les mots de triste nature errer eux-mêmes sur ma bouche, et j'allai murmurant avec l'intonation susceptible de condoléance : « La Pénultième est morte, elle est morte, bien morte, la désespérée Pénultième », croyant par là satisfaire l'inquiétude, et non sans le secret espoir de l'ensevelir en l'amplification de la psalmodie quand, effroi ! — d'une magie aisément déductible et nerveuse — je sentis que j'avais, ma main réfléchie par un vitrage de boutique y faisant le geste d'une caresse qui descend sur quelque chose, la voix même (la première, qui indubitablement avait été l'unique).

Mais où s'installe l'irrécusable intervention du surnaturel, et le commencement de l'angoisse sous laquelle agonise mon esprit naguère seigneur, c'est quand je vis, levant les yeux, dans la rue des antiquaires instinctivement suivie, que j'étais devant la boutique d'un luthier vendeur de vieux instruments pendus au mur, et, à terre, des palmes jaunes et les ailes enfouies en l'ombre, d'oiseaux anciens. Je m'enfuis, bizarre, personne condamnée à porter probablement le deuil de l'inexplicable Pénultième.

LA GLOIRE

« La Gloire ! je ne la sus qu'hier, irréfragable, et rien ne m'intéressera d'appelé par quelqu'un ainsi.

» Cent affiches s'assimilant l'or incompris des jours, trahison de la lettre, ont fui, comme à tous confins de la ville, mes yeux au ras de l'horizon par un départ sur le rail traînés avant de se recueillir dans l'abstruse fierté que donne une approche de forêt en son temps d'apothéose.

» Si discord parmi l'exaltation de l'heure, un cri faussa ce nom connu pour déployer la continuité de cimes tard évanouies, Fontainebleau, que je pensai, la glace du compartiment violentée, du poing aussi étreindre à la gorge l'interrupteur : Tais-toi ! ne divulgue pas du fait d'un aboi indifférent l'ombre ici insinuée dans mon esprit, aux portières de wagons battant sous un vent inspiré et égalitaire, les touristes omniprésents vomis. Une quiétude menteuse de riches bois suspend alentour quelque extraordinaire état d'illusion, que me réponds-tu ? qu'ils ont, ces voyageurs, pour ta gare aujourd'hui quitté la capitale, bon employé vociférateur par devoir et dont je n'attends, loin d'accaparer une ivresse à tous départie par les libéralités conjointes de la Nature et de l'État, rien qu'un silence prolongé le temps de m'isoler de la délégation urbaine vers l'extatique torpeur de ces feuillages là-bas trop immobilisés pour qu'une crise ne les éparpille bientôt dans l'air ; voici, sans attendre à ton intégrité, tiens, une monnaie.

» Un uniforme inattentif m'invitant vers quelque barrière, je remets sans dire mot, au lieu du suborneur métal, mon billet.

» Obéi pourtant, oui, à ne voir que l'asphalte s'étaler nette de pas, car je ne peux encore imaginer qu'en ce pompeux octobre exceptionnel ! du million d'existences étageant leur vacuité en tant qu'une monotonie énorme de capitale dont va s'effacer ici la hantise avec le coup de sifflet sous la brume, aucun furtivement évadé que moi n'ait senti qu'il est, cet an, d'amers et lumineux sanglots, mainte indécise flottaison d'idée désertant les hasards comme des branches, tel frisson et ce qui fait penser à un automne sous les cieux.

» Personne et, les bras de doute envolés comme

qui porte aussi un lot d'une splendeur secrète, trop inappréciable trophée pour paraître ! mais sans du coup m'élancer dans cette diurne veillée d'immortels troncs au déversement sur un d'orgueils surhumains (or ne faut-il pas qu'on en constate l'authenticité ?) ni passer le seuil où les torches consument, dans une haute garde, tous rêves antérieurs à leur éclat répercutant en pourpre dans la nue l'universel sacre de l'intrus royal qui n'aura eu qu'à venir : j'attendis, pour l'être, que lent et repris du mouvement ordinaire, se réduisît à ses proportions d'une chimère puérile emportant du monde quelque part, le train qui m'avait là déposé seul. »

LE NÉNUPHAR BLANC

J'avais beaucoup ramé, d'un grand geste net et assoupi, les yeux au dedans fixés sur l'entier oubli d'aller, comme le rire de l'heure coulait alentour. Tant d'immobilité paressait que frôlé d'un bruit inerte où fila jusqu'à moitié la yole, je ne vérifiai l'arrêt qu'à l'étincellement stable d'initiales sur les avirons mis à nu, ce qui me rappela à mon identité mondaine.

Qu'arrivait-il, où étais-je ?

Il fallut, pour voir clair en l'aventure, me remémorer mon départ tôt, ce juillet de flamme, sur l'intervalle vif entre ses végétations dormantes d'un toujours étroit et distrait ruisseau, en quête des floraisons d'eau et avec un dessein de reconnaître l'emplacement occupé par la propriété de l'amie d'une amie, à qui je devais improviser un bonjour. Sans que le ruban d'aucune herbe me retînt devant un paysage plus que l'autre chassé avec son reflet en l'onde par le même impartial coup de rame, je venais échouer dans quelque touffe de roseaux, terme mystérieux de ma course, au milieu de la rivière : où tout de suite élargie en fluvial bosquet, elle étale un nonchaloir d'étang plissé des hésitations à partir qu'à une source.

L'inspection détaillée m'apprit que cet obstacle de verdure en pointe sur le courant, masquait l'arche unique d'un pont prolongé, à terre, d'ici et de là, par une haie clôturant des pelouses. Je me rendis compte. Simplement le parc de Madame.., l'inconnue à saluer.

Un joli voisinage, pendant la saison, la nature d'une personne qui s'est choisi retraite aussi humidement impénétrable ne pouvant être que conforme à mon goût. Sûr, elle avait fait de ce cristal son miroir intérieur à l'abri de l'indiscrétion éclatante des après-midi ; elle y venait et la buée d'argent glaçant des saules ne fut bientôt que la limpidité de son regard habitué à chaque feuille.

Toute je l'évoquais lustrale.

Courbé dans la sportive attitude où me maintenait de la curiosité, comme sous le silence spacieux de ce que s'annonçait l'étrangère, je souris au commencement d'esclavage dégagé par une possibilité féminine : que ne signifiaient pas mal les courroies attachant le soulier du rameur au bois de l'embarcation, comme on ne fait qu'un avec l'instrument de ses sortilèges.

« — Aussi bien une quelconque.. » allais-je terminer.

Quand un imperceptible bruit me fit douter si l'habitante du bord hantait mon loisir, ou inespérément le bassin.

Le pas cessa, pourquoi ?

Subtil secret des pieds qui vont, viennent, conduisent l'esprit où le veut la chère ombre enfouie en de la batiste et les dentelles d'une jupe affluant sur le sol comme pour circonvenir du talon à l'orteil, dans une flottaison, cette initiative par quoi la marche s'ouvre, tout au bas et les plis rejetés en traîne, une échappée, de sa double flèche savante.

Connaît-elle un motif à sa station, elle-même la promeneuse : et n'est-ce, moi, tendre trop haut la tête, pour ces joncs à ne dépasser et toute la mentale somnolence où se voile ma lucidité, que d'interroger jusque-là le mystère.

« — A quel type s'ajustent vos traits, je sens leur précision, Madame, interrompre chose installée ici par le bruissement d'une venue, oui ! ce charme instinctif d'en dessous que ne défend pas contre l'explorateur la plus authentiquement nouée, avec une boucle en diamant, des ceintures. Si vague concept se suffit : et ne transgresse point le délice empreint de généralité qui permet et ordonne d'exclure tous visages, au point que la révélation d'un (n'allez point le pencher, avéré, sur le furtif seuil où je règne) chasserait mon trouble, avec lequel il n'a que faire. »

Ma présentation, en cette tenue de maraudeur aquatique, je la peux tenter, avec l'excuse du hasard.

Séparés, on est ensemble : je m'immisce à de sa confuse intimité, dans ce suspens sur l'eau où mon songe attarde l'indécise, mieux que visite, suivie d'autres, ne l'autorisera. Que de discours oiseux en comparaison de celui que je tins pour n'être pas entendu, faudra-t-il, avant de retrouver aussi intuitif accord que maintenant, l'ouïe au ras de l'acajou vers le sable entier qui s'est tu !

La pause se mesure au temps de sa détermination.

Conseille, ô mon rêve, que faire ?

Résumer d'un regard la vierge absence éparse en cette solitude et, comme on cueille, en mémoire d'un site, l'un de ces magiques nénuphars clos qui y surgissent tout à coup, enveloppant de leur creuse blancheur un rien, fait de songes intacts, du bonheur qui n'aura pas lieu et de mon souffle ici retenu dans la peur d'une apparition, partir avec : tacitement, en déramant peu à peu sans du heurt briser l'illusion ni que le clapotis de la bulle visible d'écume enroulée à ma fuite ne jette aux pieds survenus de personne la ressemblance transparente du rapt de mon idéale fleur.

Si, attirée par un sentiment d'insolite, elle a paru, la Méditative ou la Hautaine, la Farouche, la Gaie, tant pis pour cette indicible mine que j'ignore à jamais ! car j'accomplis selon les règles la manœuvre : me dégageai, virai et je contournais déjà une ondulation du ruisseau, emportant comme un noble œuf de cygne, tel que n'en jaillira le vol, mon imaginaire trophée, qui ne se gonfle d'autre chose sinon de la vacance exquise de soi qu'aime, l'été, à poursuivre, dans les allées de son parc, toute dame, arrêtée parfois et longtemps, comme au bord d'une source à franchir ou de quelque pièce d'eau.

L'ECCLÉSIASTIQUE

Les printemps poussent l'organisme à des actes qui, dans une autre saison, lui sont inconnus et maint traité d'histoire naturelle abonde en descriptions de ce phénomène, chez les animaux. Qu'il serait d'un intérêt plus plausible de recueillir certaines des altérations qu'apporte l'instant climatérique dans les allures d'individus faits pour la spiritualité! Mal quitté par l'ironie de l'hiver, j'en retiens, quand à moi, un état équivoque tant que ne s'y substitue pas un naturalisme absolu ou naïf, capable de poursuivre une jouissance dans la différenciation de plusieurs brins d'herbes. Rien dans le cas actuel n'apportant de profit à la foule, j'échappe, pour le méditer, sous quelques ombrages environnant d'hier la ville : or c'est de leur mystère presque banal que j'exhiberai un exemple saisissable et frappant des inspirations printanières.

Vive fut tout à l'heure dans un endroit peu fréquenté du bois de Boulogne, ma surprise quand, sombre agitation basse, je vis, par les mille interstices d'arbustes bons à ne rien cacher, total et des battements supérieurs du tricorne s'animant jusqu'à des souliers affermis par des boucles en argent, un ecclésiastique, qui à l'écart des témoins, répondait aux sollicitations du gazon. A moi ne plût (et rien de pareil ne sert les desseins providentiels) que, coupable à l'égal d'un faux scandalisé se saisissant d'un caillou du chemin, j'amenasse par mon sourire même d'intelligence, une rougeur sur le visage à deux mains voilé de ce pauvre homme, autre que celle sans doute trouvée dans son solitaire exercice! Le pied vif, il me fallut, pour ne produire, par ma présence, de distraction, user d'adresse ; et fort contre la tentation d'un regard porté en arrière, me figurer en esprit l'apparition quasi diabolique qui continuait à froisser le renouveau de ses côtes, à droite, à gauche et du ventre, en obtenant une chaste frénésie. Tout, se frictionner ou jeter les membres, se rouler, glisser, aboutissait à une satisfaction : et s'arrêter, interdit du chatouillement de quelque haute tige de fleur à de noirs mollets, parmi cette robe spéciale portée avec l'apparence qu'on est pour soi tout même sa femme. Solitude, froid silence épars dans la verdure, perçus par des sens moins subtils qu'inquiets, vous connûtes les claquements furibonds d'une étoffe, comme si la nuit absconse en ses plis en sortait enfin secouée! et les heurts sourds contre la terre du squelette rajeuni ; mais l'énergumène n'avait point à vous contempler. Hilare, c'était assez de chercher en soi la cause d'un plaisir ou peut-être d'un devoir, qu'expliquait mal un retour, devant une pelouse, aux gambades du séminaire. L'influence du souffle vernal doucement dilatant les immuables textes inscrits en sa chair, lui aussi, enhardi de ce trouble agréable à sa stérile pensée, était venu reconnaître par un contact avec la Nature, immédiat, net, violent, positif, dénué de toute curiosité intellectuelle, le bien-être général ; et candidement, loin des obédiences et de la contrainte de son occupation, des canons, des interdits, des censures, il se roulait, dans la béatitude de sa simplicité native, plus heureux qu'un âne. Que le but de sa promenade atteint, se soit, droit et d'un jet, relevé non sans secouer les pistils et essuyer les sucs attachés à sa personne, le héros de ma vision, pour rentrer, inaperçu, dans la foule et les habitudes de son ministère, je ne songe à rien nier ; mais j'ai le droit de ne point considérer cela. Ma discrétion vis-à-vis d'ébats d'abord apparus n'a-t-elle pas pour récompense d'en fixer à jamais comme une rêverie de passant se plut à la compléter, l'image marquée d'un sceau mystérieux de modernité, à la fois baroque et belle ?

MORCEAU POUR RÉSUMER VATHEK

L'histoire du calife Vathek commence au faîte d'une tour d'où se lit le firmament, pour finir bas dans un souterrain enchanté ; tout le laps de tableaux graves ou riants et de prodiges séparant ces extrêmes. Architecture magistrale de la fable et son concept non moins beau! Quelque chose de fatal ou comme d'inhérent à une loi hâte du pouvoir aux enfers la descente faite par un prince, accompagné de son royaume; seul, au bord du précipice : il a voulu nier la religion d'État à laquelle se lasse l'omnipotence d'être conjointe du fait de l'universelle génuflexion, pour des pratiques de magie, alliées au désir insatiable. L'aventure des antiques dominations tient dans ce drame, où agissent trois personnages qui sont une mère perverse et chaste, proie d'ambitions et de rites, et une nubile amante; en sa singularité seul digne de s'opposer au despote, hélas! un languide, précoce mari, lié par de joueuses fiançailles. Ainsi répartie et entre de délicieux nains dévots, des goules, puis d'autres figurants qu'elle accorde avec le décor mystique ou terrestre, de la fiction sort un appareil insolite : oui, les moyens méconnus autrefois de l'art de peindre, tels qu'accumulation d'étrangetés produite simplement pour leur caractère unique ou de laideur, une bouffonnerie irrésistible et ample, montant en un crescendo quasi lyrique, la silhouette des passions ou de cérémonials et que n'ajouter pas? A peine si la crainte de s'attarder à de ces détails, y perdant de vue le dessin de tel grand songe surgi à la pensée du narrateur, le fait pas trop abréger ; il donne une allure cursive à ce que le développement eût accusé. Tant de nouveauté et la *couleur locale*, sur quoi se jette au passage le moderne goût pour faire comme, avec, une orgie, seraient peu, en raison de la grandeur des visions ouvertes par le sujet ; où cent impressions, plus captivantes même que des procédés, se dévoilent à leur tour. Les isoler par formules distinctes et brèves, le faut-il? et j'ai peur de ne rien dire en énonçant *la tristesse de perspectives monumentales très vastes*, jointe *au mal d'un destin supérieur* ; enfin *l'effroi* causé par *des arcanes* et *le vertige* par *l'exagération orientale des nombres* ; *le remords* qui s'installe *de crimes vagues ou inconnus* ; *les langueurs virginales de l'innocence et de la prière* ; *le blasphème, la méchanceté, la foule (*)*.. Une poésie (que l'origine n'en soit ailleurs ni l'habitude chez nous) bien inoubliablement liée au livre apparaît dans quelque étrange juxtaposition

(*) Citations.

d'innocence quasi idyllique avec les solennités énormes ou vaines de la magie : alors se teint et s'avive, comme des vibrations noires d'un astre, la fraîcheur de scènes naturelles, jusqu'au malaise ; mais non sans rendre à cette approche du rêve quelque chose de plus simple et de plus extraordinaire.

VILLIERS DE L'ISLE-ADAM

SOUVENIR

Nul, que je me rappelle, ne fut, par un vent d'illusion engouffré dans les plis visibles tombant de son geste ouvert qui signifiait : « Me voici », avec une impulsion aussi véhémente et surnaturelle, poussé, que jadis cet adolescent ; ou ne connut à ce moment de la jeunesse dans lequel fulgure le destin entier, non le sien, mais celui possible de l'Homme ! la scintillation mentale qui désigne le buste à jamais du diamant d'un ordre solitaire, ne serait-ce qu'en raison du regard abdiqué par la conscience des autres. Je ne sais pas mais je crois, en réveillant ces souvenirs de primes années, que vraiment l'arrivée fut extraordinaire, ou que nous étions bien fous ! les deux peut-être et me plais à l'affirmer. Il agitait aussi des drapeaux de victoire très anciens, ou futurs, ceux-là mêmes qui laissent de l'oubli des piliers choir leur flamme amortie brûlant encore : je jure que nous les vîmes.

Ce qu'il voulait, ce survenu, en effet, je pense sérieusement que c'était : régner. Ne s'avisa-t-il pas, les gazettes indiquant la vacance d'un trône, celui de Grèce, incontinent d'y faire valoir ses droits, en vertu de suzerainetés ancestoriales, aux Tuileries : réponse, qu'il repassât, le cas échéant, une minute auparavant on en avait disposé. La légende vraisemblable, ne fut jamais, par l'intéressé, démentie. Aussi ce candidat à toute majesté survivante d'abord élut-il domicile chez les poètes ; cette fois, décidé, il le disait, assagi, clairvoyant « avec l'ambition — d'ajouter à l'illustration de ma race la seule gloire vraiment noble de nos temps, celle *d'un grand écrivain* ». La devise est restée.

Quel rapport pouvait-il y avoir entre des marches doctes au souffle de chesnaies près le bruit de mer ; ou que la solitude ramenée à soi-même sous le calme nobiliaire et provincial de quelque hôtel désert de l'antique Saint-Brieuc, se concentrât pour en surgir, en tant que silence tonnant des orgues dans la retraite de mainte abbaye consultée par une juvénile science et, cette fois, un groupe, en plein Paris perdu, de plusieurs bacheliers eux-mêmes intuitifs à se rejoindre : au milieu de qui exactement tomba le jeune Philippe-Auguste Mathias de si prodigieux nom. Rien ne troublera, pour moi, ni dans l'esprit de plusieurs hommes, aujourd'hui dispersés, la vision de l'arrivant. Éclair, oui, cette réminiscence restera dans la mémoire de chacun, n'est-ce pas, les assistants ? François Coppée, Dierx, Hérédia, Paul Verlaine, rappelez-vous ! et Catulle Mendès.

Un génie! nous le comprîmes tel.

Dans ce touchant conclave qui, au début de chaque génération, pour entretenir à tout le moins un reflet du saint éclat, assemble des jeunes gens, en cas qu'un d'eux se décèle l'Élu : on le sentit tout de suite là présent, tous subissant la même commotion.

Je le revois.

Ses aïeux étaient dans le rejet par un mouvement à sa tête habituel, en arrière, dans le passé, d'une vaste chevelure cendrée indécise, avec un air de : « Qu'ils y restent, je saurai faire, quoique cela soit plus difficile maintenant » ; et nous ne doutions pas que son œil bleu pâle, emprunté à des cieux autres que les vulgaires, ne se fixât sur l'exploit philosophique prochain, de nous irrêvé.

Certainement, il surprit ce groupe où, non sans raison, comme parmi ses congénères il avait atterri d'autant mieux, qu'à de hauts noms, comme Rodolphe-le-Bel, seigneur de Villiers et de Dormans, 1067, le fondateur — Raoul, sire de Villiers-le-Bel, en 1146, Jean de Villiers, mari en 1324 de Marie de l'Isle, et leur fils, Pierre Ier qui, la famille éteinte des seigneurs de l'Isle-Adam, est le premier Villiers de l'Isle-Adam — Jean de Villiers, petit-fils, maréchal de France qui se fit héroïquement massacrer, ici même, à Bruges, en 1437, pour le duc de Bourgogne — enfin le premier des grands maîtres de Malte proprement dits, par cela qu'il fut le dernier des grands maîtres de Rhodes, le vaincu valeureux de Soliman, du fait de Charles-Quint restauré, Philippe de Villiers de l'Isle-Adam, honneur des chevaliers de Saint-Jean de Jérusalem (la sonorité se fait plus générale) ; à tant d'échos, après tout qui somnolent dans les traités ou les généalogies, le dernier descendant vite mêlait d'autres noms, qui pour nous, artistes unis dans une tentative restreinte, je vais dire laquelle, comportaient peut-être un égal lointain, encore qu'ils fussent plutôt de notre monde : Saint-Bernard, Kant, le Thomas de la Somme, principalement un désigné par lui, le Titan de l'Esprit Humain, Hégel, dont le singulier lecteur semblait aussi se recommander, entre autres cartes de visite ou lettres de présentation, ayant compulsé leurs tomes en ces retraites qu'avec une entente de l'existence moderne il multipliait, au seuil de ses jours, dans des monastères, Solesmes, la Trappe et quelques-uns imaginaires, pour que la solitude y fût complète (parce qu'entré dans la lutte et la production il n'y a plus à apprendre qu'à ses dépens, la vie). Il lut considérablement, une fois pour toutes et les ans à venir, notamment tout ce qui avait trait à la grandeur éventuelle de l'Homme, soit en l'histoire, soit interne, voire dans le doute ici d'une réalisation — autre part, du fait des promesses, selon la religion : car il était prudent.

Nous, par une velléité différente, étions groupés : simplement resserrer une bonne fois, avant de le léguer au temps, en condition excellente, avec l'accord voulu et définitif, un vieil instrument parfois faussé, le vers français, et plusieurs se montrèrent dans ce travail d'experts luthiers.

A l'enseigne un peu rouillée maintenant du *Parnasse Contemporain*, traditionnelle, le vent l'a décrochée, d'où soufflé ? nul ne le peut dire, indiscutable ; la vieille métrique française (je n'ose ajouter la poésie) subit, à l'instant qu'il est, une crise merveilleuse, ignorée dans aucune époque, chez aucune nation, où, parmi les plus zélés remaniements de tous genres, jamais on ne touche à la prosodie. Toutefois la précaution parnassienne ne reste pas oiseuse : elle fournit le point de repère entre la refonte, toute d'audace, romantique, et la liberté ; et marque (avant que ne se dissolve, en quelque chose d'identique au clavier primitif de la parole, la versification) un jeu officiel ou soumis au rythme fixe.

Ces visées étaient d'un intérêt moindre pour un prince intellectuel du fond d'une lande ou des brumes, et de sa réflexion, surgi, afin de dominer par quelque moyen et d'attribuer à sa famille, qui avait attendu au-delà des temps, une souveraineté récente quasi mystique — pesait peu dans cette frêle main, creuset de vérités dont l'effusion devait illuminer — ne signifiait guère, sauf la particularité peut-être que ces étudiants en rareté professaient, le vers n'étant autre qu'un mot parfait, vaste, natif, une adoration pour la vertu des mots : celle-ci ne pouvait être étrangère à qui venait conquérir tout avec un mot, son nom, autour duquel déjà il voyait, à vrai dire, matériellement, se rallumer le lustre, aujourd'hui discernable pour notre seul esprit. Le culte du vocable que le prosateur allait tant, et plus que personne, solenniser (et lequel l'est en dehors de toute doctrine, que la glorification de l'intimité même de la race, en sa fleur, le parler) serra tout de suite un lien entre les quelques-uns et lui : non que Villiers dédaignât le déploiement du mot en vers, il gardait dans quelque malle, avec la plaque de Malte, parmi les engins de captation du monde moderne, un recueil de poésies, visionnaire déjà, dont il trouva séant de ne point souffler, parmi ces émailleurs et graveurs sur gemmes, préférant se rendre compte à la dérobée, attitude qui chez un débutant dénote du caractère. Même après un laps il fit lapidaire son enthousiasme et paya la bienvenue, parmi nous, avec des *lieds* ou chants brefs.

Ainsi il vint, c'était tout pour lui ; pour nous, la surprise même — et toujours, des ans, tant que traîna le simulacre de sa vie, et des ans, jusqu'aux précaires récents derniers, quand chez l'un de nous le timbre de la porte d'entrée suscitait l'attention par quelque son pur, obstiné, fatidique comme d'une heure absente aux cadrans, et qui voulait demeurer, invariablement se répétait pour les amis anciens eux-mêmes vieillis, et malgré la fatigue à présent du visiteur, lassé, cassé, cette obsession de l'arrivée d'autrefois.

Villiers de l'Isle-Adam se montrait.

Toujours, il apportait une fête, et le savait ; et maintenant ce devenait plus beau peut-être plus humblement beau, ou poignant, cette irruption, des antiques temps, incessamment ressassée, que la première en réalité ; malgré que le mystère par lui quitté jadis, la vague ruine à demi écroulée sur un sol de foi s'y fût à tout jamais tassée ; or, on se doutait entre soi d'autres secrets pas moins noirs, ni sinistres et de tout ce qui assaillait le désespéré seigneur perpétuellement échappé au tourment. La munificence, dont il payait le refuge ! aussitôt dépouillée l'intempérie du dehors ainsi qu'un rude pardessus : l'allégresse de reparaître lui, très correct et presque élégant nonobstant des difficultés, et de se mirer en la certitude que dans le logis, comme en plusieurs, sans préoccupation de dates, du jour, fût-ce de l'an, on l'attendait — il faut l'avoir ouï six heures durant quelquefois ! Il se sentait en retard et pour éviter les explications, trouvait des raccourcis éloquents, des bonds de pensée et de tels sursauts, qui inquiétaient le lieu cordial. A mesure que dans le corps à corps avec la contrariété s'amoindrissait, dans l'aspect de l'homme devenu chétif, quelque trait saillant de l'apparition de jeunesse à quoi il ne voulut jamais être inférieur, il le centuplait par son jeu, de douloureux sous-entendus ; et signifiait pour ceux auxquels pas une inflexion de cette voix, et même le silence ne restait étranger : « J'avais raison, jadis, de me produire ainsi, dans l'exagération causée peut-être par l'agrandissement de vos yeux ordinaires, certes, d'un roi spirituel, ou de qui ne doit pas être ; ne fût-ce que pour vous en donner l'idée. Histrion véridique, je le fus de moi-même ! de celui que nul n'atteint en soi, excepté à des moments de foudre et alors on l'expie de sa durée, comme déjà, et vous voyez bien que cela est (dont vous sentîtes par moi l'impression, puisque me voici conscient et que je m'exprime maintenant en le même langage qui sert, chez autrui, à se duper, à conserver, à se saluer) et dorénavant le percevrez, comme si, sous chacun de mes termes, l'or convoité et tu à l'envers de toute loquacité humaine, à présent ici s'en dissolvait, irradié, dans une véracité de trompettes inextinguibles pour leur supérieure fanfare. »

Il se taisait ; merci, Toi, maintenant d'avoir parlé, on comprend.

Minuits avec indifférence jetés dans cette veillée mortuaire d'un homme debout auprès de lui-même, le temps s'annulait, ces soirs ; il l'écartait d'un geste, ainsi qu'à mesure son intarissable parole, comme on efface, quand cela a servi ; et dans ce manque de sonnerie d'instant perçue à de réelles horloges, il paraissait — toute la lucidité de cet esprit suprêmement net, même dans des délibérations peu communes, sur quelque chose de mystérieux fixée comme serait l'évanouissement tardif, jusqu'à l'espace élargi, du timbre annonciateur, lequel avait fait dire à l'hôte : « C'est Villiers » quand, affaiblie, une millième fois se répétait son arrivée de jadis — discuter anxieusement avec lui-même un point, énigmatique et dernier, pourtant à ses yeux clair. Une question d'heure, en effet, étrange et de grand intérêt, mais qu'ont occasion de se poser peu d'hommes ici-bas, à savoir que peut-être lui ne serait point venu à la sienne, pour que le conflit fût tel. Si ! à considérer l'Histoire il avait été ponctuel, devant l'assignation du sort, nullement intempestif, ni répréhensible : car ce n'est pas contemporainement à une époque, aucunement, que doivent, pour exalter le sens advenir ceux que leur destin chargea d'en être à nu l'expression ; ils sont projetés maint siècle au delà, stupéfaits, à témoigner de ce qui, normal à l'instant même, vit tard magnifiquement par le regret, et trouvera dans l'exil de leur nostalgique esprit tourné vers le passé, sa vision pure.

(Fragment d'une Conférence)

DIVAGATION PREMIÈRE

RELATIVEMENT AU VERS

La littérature ici subit une exquise crise, fondamentale.

A jeter les yeux alentour, chez quiconque accorde à cette fonction une place ou la première, voilà le fait, d'actualité. Que nous assistons, comme finale de ce siècle, je ne dirai ainsi que ce fut dans le dernier, à des bouleversements, mais, hors de la place publique, à une inquiétude du voile dans le temple, avec des plis significatifs et un peu sa déchirure.

Un lettré français, ses lectures interrompues à la mort de Victor Hugo, il y a quelques ans, ne peut, s'il les souhaite poursuivre, qu'être déconcerté. Hugo, dans sa tâche mystérieuse, rabattit toute la prose, philosophie éloquence, histoire au vers, et, comme il était le vers personnellement, il confisqua chez qui pense, discourt ou narre, presque le droit à s'énoncer. Monument en ce désert, avec le silence loin ; dans une crypte, la divinité ainsi d'une majestueuse idée inconsciente, à savoir que la forme appelée vers est simplement elle-même la littérature ; que vers il y a sitôt que s'accentue la diction, rythme dès que style. Notre vers, je le crois, avec respect attendit que le géant qui l'identifiait à sa main tenace et plus ferme toujours de forgeron, vînt à manquer ;

pour, lui, se rompre. Toute la langue, ajustée à la métrique, y recouvrant ses coupes vitales, s'évade, selon une libre disjonction aux mille éléments simples ; et, je l'indiquerai, pas sans similitude avec la multiplicité des cris d'une orchestration, qui reste verbale.

La variation date de là : quoique en dessous et d'avance inopinément préparée par Verlaine, si fluide, revenu à de primitives épellations.

Témoin de cette aventure, où l'on me voulut un rôle plus efficace malgré qu'il n'appartient à personne, j'y dirigeai, au moins, mon ardente attention ; et il se fait temps d'en parler, préférablement à distance ainsi que ce fut presque anonyme.

Accordez que la poésie française, probablement à cause de la primauté jadis assignée à l'inépuisable enchantement de la rime, dans l'évolution jusqu'à nous, s'atteste intermittente : elle brille un laps de soudaine jeunesse ; l'épuise et attend. Extinction, plutôt usure jusqu'à montrer la trame, ressassemens, grisaille. Le besoin de poétiser, à mesure que l'interdisent des circonstances variées, a fait, maintenant, après un des orgiaques excès périodiques de presque un siècle comparable à l'unique Renaissance, ou le tour s'imposant de l'ombre et du refroidissement, pas du tout ; que l'éclat diffère, continue : la retrempe, d'ordinaire cachée, s'exerce publiquement, par le recours à de délicieux à-peu-près.

J'aimerais départager, sous un aspect triple, le traitement apporté au canon hiératique du vers ; en graduant.

Vous savez, notre prosodie, règles si brèves, intraitable d'autant : elle notifie plusieurs actes de prudence, dont l'hémistiche, et le moindre effort pour simuler la versification, à la manière des codes selon quoi s'abstenir de voler est la condition par exemple de droiture. Juste ce qu'il n'importe d'apprendre, parce que ne pas l'avoir deviné par soi et d'abord affirme l'inutilité de s'y contraindre.

Les fidèles à l'alexandrin, notre hexamètre, desserrent intérieurement ce mécanisme rigide et puéril de sa mesure ; l'oreille, affranchie d'un compteur factice, éprouve une jouissance à discerner, seule, toutes les combinaisons possibles, entre eux, de douze timbres. Je juge ce goût très moderne.

Un cas, aucunement le moins curieux, et intermédiaire, que le suivant. Le poète d'un tact aigu qui considère cet alexandrin toujours comme le joyau définitif, mais à ne sortir, épée ou fleur, que rarement et d'après quelque motif prémédité, y touche comme pudiquement ou se joue à l'entour, il en octroie de voisins accords, avant de le donner superbe et nu : laissant son doigté défaillir contre la onzième syllabe ou se propager jusqu'à une treizième maintes fois. M. Henri de Régnier excelle à ces accompagnements, de son invention, je sais, discrète et fière comme le talent qu'il instaura et révélatrice d'un transitoire trouble chez les exécutants jeunes devant l'instrument héréditaire. Autre chose, ou simplement le contraire, se décèle une mutinerie exprès, en la vacance du vieux moule fatigué, quand Jules Laforgue, pour le début, nous initia au charme certain du vers faux.

Jusqu'à présent, ou dans l'un et l'autre des modèles précités, rien, que réserve et abandon, à cause de la lassitude amenée par un abus de la cadence nationale, dont l'emploi, ainsi que celui du drapeau, doit demeurer exceptionnel. Avec cette particularité toutefois amusante que des infractions volontaires ou de savantes dissonances en appellent à notre délicatesse, au lieu que se fût, il y a quinze ans à peine, le pédant, que nous demeurions, exaspéré, comme devant quelque sacrilège ignare ! Je dirai que la réminiscence du vers strict hante ces jeux à côté et leur confère un profit.

Toute la nouveauté s'installe, relativement au vers libre, pas tel que le dix-septième siècle l'attribua à la fable ou l'opéra (ce n'était qu'un agencement, sans la strophe, de mètres divers et notoires) mais nommons-le, comme il sied, « polymorphe » : et envisageons la dissolution maintenant du nombre officiel, en ce qu'on veut, à l'infini, pourvu qu'un plaisir s'y réitère. Tantôt une euphonie fragmentée selon l'assentiment du lecteur intuitif, avec une ingénue et précieuse justesse — M. Moréas ; ou bien un geste, alangui, de songerie, sursautant, de passion lequel suffit à scander — M. Viélé-Griffin ; préalablement M. Kahn avec une notation systématique de la valeur tonale des mots. Je ne donne de noms, il en est d'autres typiques, ceux de MM.Charles Morice, Verhaëren, Dujardin, Maëterlinck, Mockel, Retté, que comme preuves à mes dires, afin qu'on se reporte aux publications.

Le remarquable est que, pour la première fois, au cours de l'histoire littéraire d'aucun peuple, concurremment aux grandes orgues générales et séculaires, où s'exalte, d'après un latent clavier, l'orthodoxie, quiconque avec son jeu et son ouïe individuels se peut composer un instrument, dès qu'il souffle, le frôle ou frappe avec science ; en user à part et le dédier aussi à la Langue.

Une haute liberté littéraire d'acquise, la plus neuve : je ne vois, et ce reste mon intense opinion, effacement de rien qui ait été beau dans le passé, je demeure convaincu que dans les occasions amples on obéira toujours à la tradition solennelle, dont la prépondérance relève du génie classique : seulement lorsqu'il n'y aura pas lieu, à cause d'une sentimentale bouffée ou pour une anecdote, de déranger les échos vénérables, on regardera à le faire. Toute âme est une mélodie, qu'il s'agit de renouer ; et pour cela, sont la flûte ou la viole de chacun. Selon moi jaillit tard une condition vraie ou la possibilité, de s'exprimer non seulement, mais de se moduler, à son gré.

Quelque étonnement, peut-être, que l'annonce d'une révolution d'ordre littéraire aboutisse à constater un chargement dans l'artifice ou moyen par excellence, le vers : en effet, un souci musical domine et je l'interpréterai selon sa visée la plus large. Symboliste, Décadente ou Mystique, les Ecoles se déclarant ou étiquetées en hâte par notre presse d'information, adoptent, comme rencontre, le point d'un Idéalisme qui (pareillement aux fugues, aux sonates) refuse les matériaux naturels et, comme brutale, une pensée directe les ordonnant ; pour ne garder de rien que la suggestion. Instituer une relation entre les images, exacte, et que s'en détache un tiers aspect fusible et clair présenté à la divination... Abolie, la prétention, esthétiquement une erreur, malgré qu'elle régit presque tous les chefs-d'œuvre, d'inclure au papier subtil du volume autre chose que par exemple l'horreur de la forêt, ou le tonnerre muet épars au feuillage : non le bois intrinsèque et dense des arbres. Quelques jets de l'intime orgueil véridiquement trompetés éveillent l'architecture du palais, le seul habitable ; hors de toute pierre, sur quoi les pages se refermeraient mal.

Parler n'a trait à la réalité des choses que commercialement : en littérature, cela se contente d'y faire une allusion ou de distraire leur qualité pour incorporer quelque idée. A cette condition s'élance le chant qu'il soit la joie d'être allégé !

» Voilà, constatation à quoi je glisse comment, dans notre langue, les vers ne vont que par deux ou à plusieurs, en raison de leur accord final, soit la loi mystérieuse de la Rime, qui se révèle avec la fonction de gardienne du sanctuaire et d'empêcher qu'entre tous un n'usurpe, ou ne demeure péremptoirement : en quelle pensée fabriqué celui-là ! peu m'importe, attendu que sa matière aussitôt, gratuite, discutable et quelconque, ne produirait de preuve à se tenir dans un équilibre momentané et double à la façon du vol, identité de deux fragments constitutifs remémorée extérieurement par une parité dans la consonance ». (*) Tout ce qu'on reconnaît écrit dans l'accetaption technique, soit phrasé, comporte une mélopée : l'écriture n'étant que la fixation du chant immiscé au langage et lui-même persuasif du sens.

(*) » Là est la suprématie des modernes vers, sur ceux antiques formant un tout et ne rimant pas ; qu'emplissait une bonne fois le métal employé à les faire, au lieu que chez nous, ils le prennent et le rejettent, incessamment deviennent, procèdent musicalement : en tant que Stance ou le distique. »

» Un désir indéniable à ce temps est de séparer comme en vue d'attributions différentes le double état de la parole, brut ou immédiat ici, là essentiel.

» Narrer, enseigner, même décrire, cela va et encore qu'à chacun suffirait peut-être, pour échanger la pensée humaine, de prendre ou de mettre dans la main d'autrui en silence une pièce de monnaie, l'emploi élémentaire du discours dessert l'universel *reportage* dont, la littérature exceptée, participe tout entre les genres d'écrits contemporains.

» A quoi bon la merveille de transporter un fait de nature en sa presque disparition vibratoire selon le jeu de la parole, cependant : si ce n'est pour qu'en émane, sans la gêne d'un proche ou concret rappel, la notion pure ?

» Je dis : une fleur! et hors de l'oubli où ma voix relègue aucun contour, en tant que quelque chose d'autre que les calices sus, musicalement se lève, idée même et suave, l'absente de tous bouquets.

» Au contraire d'une fonction de numéraire facile et représentatif, comme le traite d'abord la foule, le dire, avant tout rêve et chant, retrouve chez le poète, par nécessité constitutive d'un art consacré aux fictions, sa virtualité.

» Le vers qui de plusieurs vocables refait un mot total, neuf, étranger à la langue et comme incantatoire, achève cet isolement de la parole : niant, d'un trait souverain, le hasard demeuré aux termes malgré l'artifice de leur retrempe alternée en le sens et la sonorité, et nous cause cette surprise de n'avoir ouï jamais tel fragment ordinaire d'élocution, en même temps que la réminiscence de l'objet nommé baigne dans une neuve atmosphère. »

» Ainsi lancé de soi le principe qui n'est rien, que le Vers ! attire non moins que dégage pour son jaloux épanouissement (l'instant qu'ils y brillent et meurent dans une fleur rapide, sur quelque transparence comme d'éther) les mille éléments de beauté pressés d'accourir et de s'ordonner dans leur valeur essentielle. Signe au gouffre central d'une spirituelle impossibilité que quelque chose soit divin exclusivement à tout, le numérateur sacré du compte de notre apothéose, Vers enfin suprême qui n'a pas lieu en tant que moule d'aucun objet qui existe : mais il emprunte, pour y aviver son sceau nul, tous gisements épars, ignorés et flottants, selon quelque richesse, et les forger. »

L'œuvre pure implique la disparition élocutoire du poète, qui cède l'initiative aux mots, par le heurt de leur inégalité mobilisés ; ils s'allument de reflets réciproques comme une virtuelle traînée de feux sur des pierreries, remplaçant la respiration perceptible en l'ancien souffle lyrique ou la direction personnelle enthousiaste de la phrase. Ce caractère approche de la spontanéité de l'orchestre.

Pour achever, je ne m'assieds jamais aux gradins des concerts, sans percevoir parmi l'obscure sublimité telle ébauche de quelqu'un des poèmes immanents à l'humanité ou leur originel état, d'autant plus compréhensif que nul : et que pour en déterminer la vaste ligne le compositeur éprouva cette facilité de suspendre jusqu'à la tentation de s'expliquer. Je me figure par un indéracinable sans doute préjugé d'écrivain, que rien ne demeurera sans être proféré ; que nous en sommes là, précisément, à rechercher, devant une brisure des grands rythmes littéraires (il en a été question plus haut) et leur éparpillement en frissons articulés proches de l'instrumentation, un art d'achever la transposition, au Livre, de la symphonie ou uniment de reprendre notre bien : car, ce n'est pas de sonorités élémentaires par les cuivres, les cordes les bois, indéniablement mais de l'intellectuelle parole à son apogée que doit, avec plénitude et évidence, résulter, en tant que l'ensemble des rapports existant dans tout, la Musique.

SECONDE DIVAGATION

CÉRÉMONIALS

» Quelle représentation, le monde y tient : un livre, dans notre main, s'il énonce quelque idée auguste, supplée à tous les théâtres, non par l'oubli qu'il en cause, mais les rappelant impérieusement, au contraire. Le ciel métaphorique qui se propage à l'entour de la foudre du vers, artifice évocateur par excellence au point de simuler peu à peu et d'incarner les héros eux-mêmes (juste dans ce qu'il faut apercevoir pour n'être pas gêné de leur présence, bref le mouvement), ce spirituellement et magnifiquement illuminé fond d'extase c'est, c'est bien le pur de nous-mêmes par nous porté, toujours prêt à jaillir à l'occasion laquelle dans l'existence ou hors l'art fait toujours défaut. Musiques certes que l'instrumentation d'un orchestre tend à reproduire seulement et à feindre. Admirez dans sa toute-puissante simplicité ou foi en un moyen vulgaire et supérieur, l'élocution, puis la métrique l'affinant à une expression dernière, comme quoi un esprit qui se réfugia au vol de plusieurs feuillets, défie la civilisation négligeant de construire à son rêve, motif qu'elles aient lieu, la salle prodigieuse et la scène. Le mime absent et finales ou préludes aussi par les bois, les cuivres et les cordes, il attend, cet esprit placé au-delà des circonstances, l'accompagnement obligatoire d'arts, ou s'en passe. Seul venu à l'heure parce que l'heure est sans cesse aussi bien que jamais, à la façon d'un messager, du geste il apporte le livre ou sur ses lèvres, avant que de s'effacer ; et l'être qui retient l'éblouissement général, le multiplie chez tous, du fait de la communication.

» La merveille d'un haut poème comme ici me semble que, naissent des conditions pour en autoriser le déploiement visible et l'interprétation, d'abord il s'y prêtera et ingénument au besoin ne remplace tout que faute de tout.

» J'imagine que la cause de s'assembler, dorénavant, en vue de fêtes inscrites au programme humain, ne sera pas le théâtre, borné ou incapable tout seul de répondre à de très subtils instincts, ni la musique du reste trop fuyante pour ne pas décevoir la foule ; mais à soi fondant ce que ces deux isolent de vague et de brutal, l'Ode, dramatisée par des effets de coupe savants : des scènes héroïques ou une ode à plusieurs voix.

Oui, le culte promis à des Cérémonials songez quel il peut être, réfléchissez ! simplement l'ancien ou de tous temps, que l'afflux par exemple de la symphonie récente des concerts a cru mettre dans l'ombre, au lieu que c'est l'affranchir installé mal sur les planches et l'y faire régner : aux convergences des autres arts située, issue d'eux et les gouvernant, la Fiction, ou Poésie. »

» Une simple adjonction orchestrale change du tout au tout, annulant son principe même, l'ancien théâtre, et c'est comme strictement allégorique, que l'acte scénique maintenant, vide et abstrait en soi, impersonnel, a besoin, pour s'ébranler avec vraisemblance, de l'emploi du vivifiant effluve qu'épand la Musique.

» Sa présence, rien de plus ! à la Musique, est un triomphe, pour peu qu'elle ne s'applique point, même comme leur élargissement sublime, à d'antiques conditions, mais éclate la génératrice de toute vitalité : un auditoire éprouvera cette impression que, si l'orchestre cessait de déverser son influence, l'idole en scène resterait, aussitôt, statue. »

» Le Ballet illustre ce principe, mais si médiocrement aujourd'hui, que sied de ne pas insister sur son apport délicieux.

» L'unique entraînement imaginatif consiste aux heures ordinaires de fréquentation dans les lieux de danse, sans visée quelconque préalable, patiemment et passivement, à se demander devant tout pas, chaque attitude si étranges, ces pointes et taquetés, allongés ou ballons « Que peut signifier ceci » ou mieux, d'inspiration, le lire. A coup sûr on opérera en pleine rêverie, mais adéquate : vaporeuse, nette et ample, ou restreinte, telle seulement que l'enferme en ses circuits ou la transporte par une fugue la ballerine illettrée, se livrant aux jeux de sa profession. Oui celle-là (serais-tu perdu en une salle, spectateur très étranger, Ami) pour peu que tu déposes avec soumission à ses pieds d'inconsciente révélatrice ainsi que les roses qu'enlève et jette en la visibilité de régions supérieures un jeu de ses chaussons de satin pâle vertigineux, la Fleur d'abord de *ton poétique* instinct, n'attendant de rien autre la mise en évidence et sous le vrai jour des mille imaginations latentes : alors, par un commerce dont son sourire paraît verser le secret sans tarder elle te livre à travers le voile dernier qui toujours reste, la nudité de tes concepts et silencieusement écrira ta vision à la façon d'un Signe, qu'elle est. »

Une belle réjouissance d'à présent, due aux sortilèges divers de la Poésie, ne vaut, que mêlée à un fonctionnement de capitale, et en résulte ; comme apothéose. L'État, en raison de sacrifices inexpliqués et conséquemment relevant d'une foi, exigés de l'individu, ou notre insignifiance, doit un apparat : c'est improbable, en effet, que nous soyons, vis-à-vis de l'absolu, les messieurs qu'ordinairement nous paraissons. Une royauté environnée de prestige militaire, suffisant naguère publiquement, a cessé : et l'orthodoxie de nos élans psychiques, qui se perpétue, remise au clergé, souffre d'étiolement. Néanmoins pénétrons-y, en dilettante : et si (le sait-on) la fulguration de chants antiques jaillis consumait l'ombre et illuminait quelque divination longtemps voilée, lucide tout à coup et en rapport avec une joie à instaurer.

Toujours est-il que, dans cette église, se donne un mystère : où à quel degré en reste-t-on spectateur, et présume-t-on y avoir un rôle ? Je néglige, notez, tout aplanissement chuchoté par la doctrine, et m'en tiens aux solutions que proclame l'éclat liturgique. Non que j'écoute en amateur peut-être soigneux ; excepté pour admirer comment, dans la succession de ces antiennes, proses ou motets, la voix, celle de l'enfant et de l'homme, disjointe, mariée, nue ou exempte d'accompagnement autre qu'une touche au clavier pour y poser l'intonation, évoque, à l'âme, l'existence d'une personnalité multiple et une, mystérieuse et rien qu'idéale. Quelque chose comme le Génie, aventureux, sans commencement ni chute, simultané, écho de soi, en l'arabesque de son intuition supérieure : il se sert des exécutants, par quatuor, duo, etc., ainsi que des puissances d'un unique instrument l'aidant à jouer la virtualité. Contrairement par exemple aux usages d'opéra ; où tout advient pour rompre la céleste liberté de la mélodie, sa condition, et l'entraver par la vraisemblance du développement régulier humain. Ainsi même contradictoirement m'obsède, parmi le plaisir, une assimilation d'effets extraordinaires retrouvés ici et de quelque rite pour nos fastes futurs attribuable peut-être au théâtre et j'ai le sentiment, dans ce sanctuaire, d'un agencement dramatique exact, comme je sais que ne le montra autre part jamais séance constituée pour un tel objet. Suivez, trois éléments, ils se commandent. La nef avec un peuple je ne dirai d'assistants, c'est d'élus : quiconque y peut de la source la plus humble du gosier jeter aux voûtes le répons en latin incompris mais exultant, participe entre tous et pour lui, de la sublimité se reployant vers le chœur : car tel est le miracle de chanter qu'on se projette à la hauteur où va le cri. Dites si artifice, préparé mieux et pour beaucoup, égalitaire, que cette communion, je parle au sens esthétique, avec le héros du Drame divin. Une remarque est, que le prêtre céans n'a qualité d'acteur, il officie ; désigne et recule la présence mythique avec qui on vient se confondre ; loin de l'obstruer du même intermédiaire que le comédien, qui arrête la pensée à son encombrant personnage. Je finis par l'orgue, relégué aux portes, il exprime le dehors, un balbutiement de ténèbres énorme, dans cette exclusion du refuge, avant de s'y déverser extasiées et pacifiées, l'approfondissant ainsi de l'univers entier et causant aux hôtes une plénitude de fierté et de sécurité. Telle, en l'authenticité de fragments distincts, la mise en scène de la religion d'état, par nul cadre encore dépassée et qui, selon une œuvre triple, invitation directe à l'essence du type (ici, le Christ), puis invisibilité de celui-ci, enfin élargissement du lieu par vibrations jusqu'à l'infini, satisfait étrangement un souhait moderne philosophique et d'art. Et, j'oubliais la tout aimable gratuité de l'entrée.

La première salle que possède la Foule, au Palais du Trocadéro, prématurée, mais intéressante avec sa scène réduite au plancher de l'estrade (tréteau et devant de chœur), son considérable buffet d'orgues et le public jubilant d'être là, indéniablement en un édifice voué aux fêtes, implique une vision d'avenir ; or on a repris à l'église plusieurs traits insciemment.

La représentation, ou l'office, manque, voilà ; deux termes, entre quoi, à distance voulue, hésitera toute pompe. Quand le vieux vice religieux, si glorieux, qui fut de dévier vers l'incompréhensible ou l'abscons les sentiments naturels, pour leur conférer une grandeur pure, se sera dilué aux ondes de l'évidence et du jour, cela ne demeurera pas moins, que le dévouement à la Patrie, s'il doit trouver une sanction autre que sur le champ de bataille, dans quelque allégresse, requiert un culte ; étant de piété. Considérons aussi que rien, en dépit de l'insipide tendance ne se montrera exclusivement laïque, parce que ce mot n'élit pas précisément de sens.

Solitaire autant que générale en surprises pour le poète même, cette songerie restreinte par hasard, à quelques piliers de paroisse perd de l'insolite, après un moment : la conclusion prévaut : en effet, c'etait impossible que dans une religion, encore qu'à l'abandon depuis, la race n'eût pas mis son secret intime d'elle ignoré. L'heure convient, avec le détachement nécessaire, d'y pratiquer les fouilles, pour exhumer d'anciennes et magnifiques intentions.

» Si l'esprit français strictement imaginatif et abstrait, donc poétique, jette un éclat, ce sera ainsi : il répugne, en cela d'accord avec l'Art dans son intégrité, qui est inventeur, à la Légende. Voyez-le des jours abolis ne garder aucune anecdote énorme et fruste, comme par une prescience de ce qu'elle apporterait d'anachronisme dans une représentation théâtrale, Sacre d'un des actes de la Civilisation (*). A moins que cette Fable, vierge de tout, lieu, temps et personne sus, ne se dévoile empruntée au sens latent de la présence d'un peuple, celle inscrite sur la page des Cieux et dont l'Histoire même n'est que l'interprétation, vaine, c'est-à-dire un poème, l'Ode. Quoi ! le siècle, ou notre pays qui l'exalte, ont dissous par la pensée les Mythes, ce serait pour en refaire ! Le Théâtre les appelle, non ! pas de fixes, ni de séculaires et de notoires, mais un, dégagé de personnalité, car il figure notre aspect multiple : que de prestiges corres-

(*) Exposition, Transmission de Pouvoirs, etc. : t'y vois-je, Brünnhild ou qu'y ferais-tu, Sigfrid.

pondant au fonctionnement de l'existence nationale, évoque l'Art, pour le mirer en tous. Type sans dénomination préalable, pour qu'en émane la surprise, son geste résume vers soi nos rêves de sites ou de paradis, qu'engouffra l'antique scène avec une prétention vide à les contenir ou à les peindre. Lui, quelqu'un ! ni cette scène, quelque part (l'erreur connexe, décor stable et acteur réel du Théâtre manquant de la Musique) : est-ce qu'un fait spirituel, l'épanouissement de symboles ou leur préparation, nécessite endroit, pour s'y développer, autre que le foyer fictif de vision dardé par le regard d'une foule ! Saint des Saints, mais mental... alors y aboutissent, dans quelque éclair suprême, d'où s'éveille la Figure que Nul n'est, chaque attitude mimique prise elle-même à un rythme inclus dans la symphonie, et le délivrant ! Alors viennent expirer comme aux pieds de cette incarnation, non sans qu'un lien certain les apparente ainsi à son humanité, ces raréfactions et ces sommités naturelles que la Musique rend, arrière-prolongement vibratoire de tout ainsi que la Vie.

» L'Homme, puis son authentique séjour terrestre, échangent une réciprocité de preuves.

» Ainsi le Mystère !

» La Cité qui donna à cette expérience sacrée un théâtre imprime à la terre le Sceau universel.

» Quant à son peuple, c'est bien le moins qu'il ait témoigné du fait auguste, j'atteste la Justice qui ne peut que régner là ! puisque cette orchestration de qui tout à l'heure sortit l'évidence du lieu ne synthétise jamais autre chose que les délicatesses et les magnificences, immortelles innées, qui sont à l'insu de tous dans le concours d'une muette assistance. »

TABLE

VERS

II. PROSE

Poèmes de Poe

Plusieurs Pages

TABLE

Note : *Le paragraphe* « Voila constatation à quoi je glisse » *page* 198, *jusqu'à* « Tout ce qu'on reconnaît écrit » *est extrait d'une étude* Un Principe des Vers.

Ceux « Un désir indéniable à ce temps » *page* 199, *et les suivants composèrent à eux seuls antérieurement une Divagation.* « Ainsi lancé de soi le principe » *page* 200 — *de l'étude* « Un Principe des Vers ».

Les paragraphes « Quelle représentation, le monde y tient » *page* 203 — *de la même étude.*

Ceux : « Une simple adjonction orchestrale », *page* 206, *et le suivant* — *de* « Richard Wagner. Rêverie d'un Poète Français ». « L'unique entraînement imaginatif » — *page* 207, *d'une étude* Ballets. « Si l'esprit français strictement imaginatif et abstrait » *page* 213 *jusqu'à la fin* — *de* « Richard Wagner. Rêverie d'un Poète Français. »

Imprimerie Bussière à Saint-Amand (Cher), France. — 5-1-1961.
Dépôt légal : 1e trim. 1961. No d'éd. : 9. No d'imp. : 294.

IMPRIMÉ EN FRANCE